RAÚL HESTNES FERREIRA

arquitectura e universidade · ISCTE

Lisboa, 1972 | 2005

arquitectura e universidad
architecture and university

Índice | Content

RAÚL HESTNES FERREIRA

arquitectura e universidade · ISCTE

Lisboa, 1972 | 2005

arquitectura e universidad

architecture and university

Luís Reto
Presidente do ISCTE
Lisboa, Fevereiro 2006

There is no other place where a great exhibition about the work of Architect Raul Hestnes Ferreira would make more sense than at ISCTE complex.

In fact, this must be a rare event, if not unique, that the same architect could have been able to design from the first to the last building of a university *campus* and during a period of almost thirty years.

It must also be a unique event that, two of the four ISCTE's buildings are Valmor architecture awards.

It is adequate to state that ISCTE is meant to be a well succeed project, even in its Architecture.

It is true that Architect Hestnes Ferreira has a vast work beyond ISCTE's *campus*, as this exhibition very well shows, but the fact of being held here, gives the visitor a chance to appreciate, *in loco*, an important part of that same work. We all know that space is a conditioner of our sensations and behaviours, and therefore is it not bold to say that, much of what ISCTE is, is also, work of Architect Hestnes Ferreira.

As ISCTE's President, I can only feel, especially grateful for this exhibition and to thank Architect Hestnes Ferreira all creativity and genius put to the service of our community.

No hay otro lugar en el cual una gran exposición sobre la obra del Arquitecto Raúl Hestnes Ferreira tenga más sentido que en las instalaciones del ISCTE.

De hecho, debe ser un hecho raro, de no ser único, que el mismo arquitecto haya podido diseñar desde el primer hasta el último edificio de un *campus* universitario y por un período de tiempo de casi treinta años.

Del mismo modo, debe ser único el que dos de los cuatro edificios del ISCTE sean **premio Valmor de Arquitectura**.

Cabe decir que el ISCTE esta destinado para ser un proyecto exitoso, hasta en su Arquitectura.

Es cierto que el arquitecto Hestnes Ferreira tiene una considerable obra aparte del *campus* del ISCTE, lo cual queda demostrado con esta exposición, pero el hecho de que la misma se realice aquí , en este espacio, le da una oportunidad al visitante de poder apreciar igualmente, *in loco*, un componente importante de esa obra. Todos conocemos como el espacio condiciona nuestras sensaciones y comportamientos, por lo que no es riesgoso afirmar que mucho de lo que es el ISCTE, es también obra del Arquitecto Hestnes Ferreira.

Como Presidente del ISCTE no puedo dejar de sentirme particularmente gratificado por la realización de esta exposición y de agradecer al Arquitecto Hestnes Ferreira toda la creatividad e ingenio que colocó al servicio de nuestra comunidad.

Não há outro lugar em que uma grande exposição sobre a obra do Arquitecto Raul Hestnes Ferreira possa fazer mais sentido do que nas instalações do ISCTE.

De facto, deve ser acontecimento raro, senão único, que o mesmo arquitecto tenha podido desenhar desde o primeiro até ao último edifício de um *campus* universitário e por período temporal de quase trinta anos.

Deve igualmente ser caso único que dois dos quatro edifícios do ISCTE sejam Prémio Valmor de Arquitectura.

É caso para dizer que o ISCTE está vocacionado para ser um projecto de sucesso, mesmo na sua Arquitectura.

É certo que o arquitecto Hestnes Ferreira tem uma vasta obra para além do *campus* do ISCTE, como esta exposição bem demonstra, mas o facto dela se realizar aqui, neste espaço, dá uma oportunidade ao visitante de poder igualmente apreciar, *in loco*, uma componente importante dessa mesma obra. Todos sabemos como o espaço condiciona as nossas sensações e comportamentos pelo que não é arriscado afirmar que muito do que é o ISCTE é, também, obra do Arquitecto Hestnes Ferreira.

Como Presidente do ISCTE não posso deixar de me sentir particularmente gratificado pela realização desta exposição e de agradecer ao Arquitecto Hestnes Ferreira toda a criatividade e engenho que colocou ao serviço da nossa comunidade.

Uma História de trinta e três anos

Una historia con treinta y três años

A thirty three years history

Lisboa, Fevereiro 2006

The *Instituto Superior de Ciências do Trabalho e da Empresa*, – ISCTE – was founded on the 15th of December 1972, by Law Decree number 522/72 reconverting the *Instituto de Estudos Sociais* – I.E.S. Created on the context of a university innovation programmed through the "*Veiga Simão reform*", ISCTE, in its genesis, was foreseen as the first unit of a new university in Lisbon. By conjuncture circumstances, coming especially from the political and social situation arising on the 25th of April 1974, ISCTE was declared an autonomous academic institute, and would remain like that during long years on direct dependence of the *Direcção-Geral do Ensino Superior* (General-Direction of higher Education) of the, then, Education Ministry. On this institutional context, ISCTE benefited from important competencies delegation by the Ministry. It had an unknown autonomy, at that time, by other faculty, which contributed very much, for a better development of the institution. Progressively, the institution could build its place, on the general context of Higher Education System, with the knowledge and acknowledgement of the Ministry. With the publication of the Law number 108/88, of 24 of September (Universities Autonomy), based on the Law number 45/86, of 14 of October (Educational System Act) and on the Republic's Constitution, ISCTE received the title of "non-integrated university institute". In 1990 the Ministry of Education ap-

El Instituto Superior de las Ciencias del Trabajo y de la Empresa, – ISCTE – fue fundado el 15 de diciembre de 1972.

Creado en el marco de una innovación universitaria programada por la "reforma Veiga Simão", el ISCTE, en su génesis, se visualizó como la primera unidad de una nueva universidad en Lisboa.

Debido a circunstancias coyunturales, y especialmente originadas por la situación política y social aflorada en el 25 de abril de 1974, el ISCTE fue declarado instituto universitario autónomo y así se mantuvo durante varios años en la directa dependencia de la Dirección General de la Educación Superior del entonces designado Ministerio de Educación.

El ISCTE se benefició de importantes delegaciones de competencias por parte de la Tutela. Gozaba de una autonomía desconocida, en ese tiempo, en cualquier otra facultad, lo cual contribuyó para un mejor desarrollo de la institución.

Progresivamente, la institución fue pudiéndose afirmar, en el marco general del Sistema de la Educación Superior, con el conocimiento y reconocimiento del Ministerio. Con la publicación de la Ley n.o 108/88, de 24 de septiembre (Autonomía de las Universidades), apoyada en la Ley n.o 45/86, de 14 de octubre (Ley de Bases del Sistema Educativo) y en la Constitución de la República, el ISCTE recibió la consagración de "instituto universitario no Integrado". En 1990

O Instituto Superior de Ciências do Trabalho e da Empresa, - ISCTE - foi fundado a 15 de Dezembro de 1972, pelo Decreto-lei nº 522/72 que reconverteu o Instituto de Estudos Sociais – I.E.S.

Criado no quadro de uma inovação universitária programada pela "reforma Veiga Simão", o ISCTE, na sua génese, perspectivava-se como primeira unidade de uma nova universidade em Lisboa.

Por circunstâncias conjunturais, e especialmente advindas pela situação política e social despontada no 25 de Abril de 1974, o ISCTE foi declarado instituto universitário autónomo e assim viria a manter-se durante largos anos na directa dependência da Direcção-Geral do Ensino Superior do então designado Ministério da Educação.

Neste seu enquadramento institucional, o ISCTE beneficiou de importantes delegações de competências por parte da Tutela. Usufruía de uma autonomia desconhecida ao tempo em qualquer outra faculdade, o que em muito contribuiu para um melhor desenvolvimento da instituição.

Progressivamente, o Instituto foi podendo afirmar-se, no quadro geral do Sistema do Ensino Superior, com o conhecimento e o reconhecimento do Ministério. Com a publicação da Lei nº 108/88, de 24 de Setembro (Autonomia das Universidades), ela própria apoiada na Lei nº 45/86, de 14 de Outubro (Lei de Bases do Sistema Educativo) e na Constituição da República, o ISCTE recebeu a consagração de "Instituto Universitário não Integrado". Em 1990 o Ministério da Educação aprova os Estatutos, declarando o ISCTE "escola universitária não integrada", com plena autonomia científica, pedagógica, administrativa e financeira. A partir destes Estatutos o ISCTE passou a ter competência autónoma para conferir todos os graus académicos: licenciatura, mestrado, doutoramento, doutoramento *honoris causa*, bem como provas de agregação.

Em 1997, o ISCTE integra a Fundação das Universidades Portuguesas. Em 2000 o Ministério da Tutela aprova os actuais estatutos que consagram uma estrutura idêntica à das Universidades, nomeadamente extinguindo o Conselho Directivo e criando as figuras do Conselho Administrativo, Administrador e Senado.

Já muito mais recentemente (2005), por deliberação do Conselho de Ministros, o ISCTE passa a pertencer ao Conselho de Reitores das Universidades Portuguesas (CRUP).

O ISCTE, no âmbito das suas actividades de ensino, investigação e prestação de serviços à comunidade, é uma instituição universitária que se destina à formação de quadros e especialistas qualificados, cujas competências culturais, científicas e técnicas os tornam aptos a intervir no desenvolvimento sustentado do país.

O programa actual de actividades da instituição é fundamentalmente desenvolvido em três domínios principais: **ciências de gestão, ciências sociais e ciências tecnológicas.**

O ISCTE, desde a sua origem, foi uma instituição universitária vocacionada para o ensino, formação e investigação na área das ciências sociais e empresariais.

el Ministerio de Educación aprueba los Estatutos, declarando el ISCTE "escuela universitaria no integrada", con autonomía científica plena, pedagógica, administrativa y financiera.

A partir de estos Estatutos el ISCTE pasó a tener competencia autónoma para otorgar todos los grados académicos (maestría, doctorado, doctorado *honoris causa*), así como también pruebas de agregación.

En 1997, el ISCTE integra la Fundación de las Universidades Portuguesas.

Ya mucho mas recientemente (2005), por deliberación del Consejo de Ministros, el ISCTE pasa a pertenecer al Consejo de Rectores de las Universidades Portuguesas (CRUP).

El ISCTE, en el ámbito de sus actividades de educación, investigación y prestación de servicios a la comunidad, es una institución universitaria que se destina a la formación de un cuerpo de integrantes y especialistas calificados, cujas competencias culturales, científicas y técnicas los vuelven aptos para intervenir en el desarrollo sustentado del país.

El programa de actividades de la institución es desarrollado fundamentalmente en tres áreas principales: **ciencias de gestión, ciencias sociales y ciencias tecnológicas.**

El ISCTE, desde su origen, fue una institución universitaria dirigida para la educación, formación e investigación en las áreas de las ciencias sociales y empresariales.

El desarrollo de la matriz en ciencias de gestión potencia, y requiere, la creación de las licenciaturas de Computación y Gestión de Empresas, Gestión e Ingeniería Industrial, Gestión de Re-

proves the Articles of Association, declaring ISCTE "a non-integrated university school", with full scientific, pedagogical, administrative and financial autonomy. After the Articles of Association, ISCTE had autonomous competence to minister all academic degrees: University degree, Masters, Doctorals, Doctorals *honoris causa*, as well as aggregation proofs. In 1997, ISCTE integrates the Foundation of Portuguese Universities. In 2000 the competent Ministry approves the present statutes imposing a structure identical to universities, mainly eliminating the Directive Council and creating the Administration Council, Administrator and the Senate. Much more recently (2005), by deliberation of the Ministers Council, ISCTE takes part in the *Conselho de Reitores das Universidades Portuguesas* (CRUP) (Portuguese Universities Deans Council). ISCTE, within the scope of its teaching activities, investigation and services rendered to the community, is a university institution with the objective of training executives and qualified specialists, whose cultural, scientific and technical competences make them capable of intervene on the sustainable development of the country. The present institution activities program is fundamentally developed on three main domains: **management sciences, social sciences and technological sciences.** Since its birth, ISCTE, was a university institution created for teaching, training and investigation in the area of social and business sciences. The development of the matrix in management sciences empowers, the creation of degrees in Informatics and Management,

Management and Industrial Engineering. On its turn, the development of the matrix in social sciences, based on the Sociology degree, consolidated that domain, with the creation of the degrees in Anthropology, Sociology and Planning and Social and Organizations Psychology. Resulting from the dynamics derived from these courses creating a net in turn of the two main initial matrixes— management sciences and social sciences —the degrees in Finances, Marketing, Human Resources, Economy and Modern and Contemporary History, gain an autonomy of their own. The quality and modernization of the two initial nuclear matrixes tend to involve and develop, in their degrees program's contents, specific training in the area of new information and communication technologies. On the other hand, the involving increase in all scientific and school domains, of capabilities and competences adequate to respond to the Information and Knowledge, are the base for the development of the third domain: Domain of Technological Sciences. It is on the interface of management sciences, with the degree in Informatics and Management and Social Sciences that third vector arises, today structural within the scope of ISCTE activities, technological sciences. It is clearly found in degrees such as, Telecommunications and Informatics Engineering, Informatics Engineering and Architecture. If from the part the Ministry, ISCTE recognition was indisputable, neither as a university institution fully legitimated, nor less clear the reasons for that recognition, on the part of civil society. From the student's part, a

cursos Humanos. Así mismo, el desarrollo de la matriz en ciencias sociales, teniendo como base la carrera de Sociología, va a sedimentar esa área, con la creación de las licenciaturas de Antropología, Sociología y Planeamiento, Psicología Social y de las Organizaciones.
En el resultado de la dinámica originada de estos cursos, que forman una red alrededor de las dos matrices nucleares iniciales – Ciencias de Gestión y Ciencias Sociales – las licenciaturas de Finanzas y de Mercadeo, Economía e Historia Moderna y Contemporánea ganan autonomía propia.
La calidad y modernización de las dos matrices nucleares iniciales llevan a englobar y desarrollar, en los contenidos de los programas de sus carreras, formación específica en las áreas de nuevas tecnologías de la información y comunicación. Por otro lado, el incremento envolvente en todas las áreas científicas y escolares de capacidades y competencias propias para responder a la Sociedad de la Información y del Conocimiento, fundamentan el surgimiento de una tercera área: área de las ciencias tecnológicas
Es en la interfase de las ciencias de gestión, con la carrera de Computación y Gestión de Empresas y de las Ciencias Sociales que se prefigura ese tercer vector, hoy estructural en el ámbito de las actividades del ISCTE, las ciencias tecnológicas. El mismo está implícito en carreras como Ingeniería de Telecomunicaciones y Computación, Ingeniería de computación y Arquitectura.
Si por el lado del Ministerio de la Tutela era

O desenvolvimento da matriz em ciências de gestão potenciou a criação das licenciaturas de Informática e Gestão de Empresas, Gestão e Engenharia Industrial. Por sua vez, o desenvolvimento da matriz em ciências sociais, tendo por base o curso de Sociologia, veio sedimentar esse domínio, com a criação das licenciaturas de Antropologia, Sociologia e Planeamento e Psicologia Social e das Organizações.
No resultado da dinâmica derivada destes cursos que formam uma rede à roda das duas matrizes nucleares iniciais – ciências de gestão e ciências sociais – ganham uma autonomia própria as licenciaturas de Finanças, Marketing, Recursos Humanos, Economia e História Moderna e Contemporânea.
A qualidade e modernização das duas matrizes nucleares iniciais levam a englobar e desenvolver, nos conteúdos dos programas dos seus cursos, formação específica na área das novas tecnologias da informação e da comunicação. Por outro lado, o incremento envolvente em todos os domínios científicos e escolares de capacidades e competências próprias para responder à Sociedade da Informação e do Conhecimento, fundamentam o surgimento do terceiro domínio: o domínio das ciências tecnológicas.
É no interface das ciências de gestão, com o curso de Informática e Gestão de Empresas e das Ciências Sociais que se prefigura esse terceiro vector, hoje estrutural no âmbito das actividades do ISCTE, as ciências tecnológicas. Ele explicita-se em cursos como Engenharia de Telecomunicações e Informática, Engenharia Informática e Arquitectura.
Se pelo lado do Ministério da Tutela era inequívoco o reconhecimento do ISCTE, como instituição universitária de

pleno direito, não são menos claras as razões desse reconhecimento do lado da sociedade civil. Por parte dos estudantes, regista-se uma grande adesão ao ISCTE, o que lhe dá lugar destacado nas preferências no acesso aos seus cursos, preenchendo as vagas disponibilizadas a 100%.

Por outro lado, o aumento confirmado da qualidade e da qualificação de um corpo docente muito específico e de competências singulares, no quadro da Universidade Portuguesa traz-lhe uma grande notoriedade.

No vector ensino, a avaliação até agora feita pelas Comissões de Avaliação Externa do Conselho Nacional de Avaliação às licenciaturas ministrados pelo ISCTE tem obtido resultados muito positivos e elogiosos.

No vector investigação, a avaliação feita pelos peritos internacionais a que recorreu o Ministério da Ciência e Tecnologia, aos Centros Associados do ISCTE, tem variado entre o Excelente e o Bom. Fazem parte do universo de Centros Associados do ISCTE, como centros reconhecidos e avaliados pela F.C.T. (Fundação para a Ciência e Tecnologia), os seguintes centros: Associação para o Desenvolvimento das Telecomunicações e Técnicas de Informática – ADETTI; Centro de Estudos Africanos – CEA; Centro de Estudos de Antropologia Social – CEAS; Centro de Estudos de História Contemporânea Portuguesa – CEHCP; Centro de Estudos sobre a Mudança Socioeconómica – DINÂMIA; Centro de Estudos Territoriais – CET; Centro de Investigação e de Intervenção Social - CIS; Centro de Investigação e Estudos de Sociologia – CIES bem como a Unidade de Investigação em Desenvolvimento Empresarial – UNIDE.

Por sua vez, são ainda centros associados no domínio da formação e serviços à comunidade: Centro de Inves-

inequívoco el reconocimiento del ISCTE, como institución universitaria de pleno derecho, no son menos claras las razones de ese reconocimiento por parte de la sociedad civil. Por parte de los estudiantes, una gran adhesión al ISCTE, que le dan un lugar destacado en preferencia en el acceso a sus carreras, llenando los cupos disponibles en un 100%.

Por otro lado, el comprobado aumento de la calidad y de la calificación de un cuerpo docente muy específico y de competencias singulares, en el marco de la Universidad Portuguesa le otorga un inmenso reconocimiento.

En el vector educación, la evaluación hecha hasta la fecha a las licenciaturas ofrecidas por el ISCTE, por las Comisiones de Evaluación Externa del Consejo Nacional de Evaluación, ha obtenido resultados muy positivos y elogiadores.

En el vector investigación, la evaluación hecha a los Centros Asociados del ISCTE, por los expertos internacionales a quienes acudió el Ministerio de Ciencia y Tecnología, ha variado entre Excelente y muy bueno. Los siguientes centros forman parte del universo de Centros Asociados del ISCTE, como centros reconocidos y evaluados por la F.C.T. (Fundación para la Ciencia y Tecnología: Asociación para el Desarrollo de las Telecomunicaciones y Técnicas de Computación – ADETTI; Centro de Estudios Africanos – CEA; Centro de Estudios de Antropología Social – CEAS; Centro de Estudios de Historia Contemporánea Portuguesa – CEHCP; Centro de Estudios sobre el Cambio Socio Económico – DINÂMIA; Centro de Estudios Territoriales – CET; Centro de Investigación de Mercados y Activos Financieros – CEMAF; Centro de Investigación y de Intervención Social; Centro de

great adhesion to ISCTE, as marked preferred site for their studies, filling 100% of available places. On the other hand, the confirmed increase in quality and qualification of the teaching staff, very specific and with unique singularities, in the context of the Portuguese University creates great awareness. On the teaching vector, the evaluation made so far, by the *Comissões de Avaliação Externa do Conselho Nacional de Avaliação* (Commisions of External Evaluation of the National Council of Evaluation) to ISCTE's degrees have obtained very positive and praising results. On the investigation vector, the evaluation made by international experts chosen by the Science and Technology Ministry, to ISCTE's Associated Centers, varies between Excellent and Good. From the universe of ISCTE's Associated Centers, take part centers recognized and evaluated by F.C.T. (Foundation for Science and Technology), as follows: *Associação para o Desenvolvimento das Telecomunicações e Técnicas de Informática – ADETTI; Centro de Estudos Africanos – CEA; Centro de Estudos de Antropologia Social – CEAS; Centro de Estudos de História Contemporânea Portuguesa – CEHCP; Centro de Estudos sobre a Mudança Socioeconómica – DINÂMIA; Centro de Estudos Territoriais – CET; Centro de Investigação e de Intervenção Social - CIS; Centro de Investigação e Estudos de Sociologia – CIES* as well as the *Unidade de Investigação em Desenvolvimento Empresarial – UNIDE.* There are also, centers associated for training and services to the community: *Centro de Investigação de Mercados Activos e Financeiros – CEMAF; Centro de Especialização em Gestão e Finanças – OVERGEST; Centro de Estudos de Urbanismo e Arqui-*

tigação de Mercados Activos e Financeiros – CEMAF; Centro de Especialização em Gestão e Finanças – OVERGEST; Centro de Estudos de Urbanismo e Arquitectura – CEUA; Centro de Investigação e Formação em Marketing – GIEM; Grupo de Investigação Estatística e Análise de Dados – GIESTA; Instituto de Estudos de Logística e Gestão Global – In Out Global; Centro de Investigação e Informação para a Gestão - GEST-IN; Centro de Investigação em Empreendedorismo e Empresas Familiares – UNIAUDAX.

No vector da prestação de serviços à comunidade foram sendo criadas múltiplas ligações a empresas e organizações (estatais e da sociedade civil) através de professores e diplomados do ISCTE. Destaca-se neste plano, o Instituto para o Desenvolvimento da Gestão (INDEG), que desenvolve uma acção, de grande reconhecimento público, na formação, pós-graduação e na investigação e serviços à comunidade, nas áreas das suas competências.

No universo das suas áreas de investigação estão ligados a estes Centros e aos Departamentos, a quem cabe a responsabilidade editorial, oito revistas, a saber: Cidades. Comunidades e Territórios (CET), Etnográfica (CEAS), Ler História (CEHCP), Revista Portuguesa e Brasileira de Gestão (editada em Portugal pelo INDEG/ISCTE), em parceria com a Fundação Getúlio Vargas no Brasil, Revista Urbanismo de Origem Portuguesa (associada ao Arquivo Virtual de Cartografia Urbana), Sociologia, Problemas e Práticas (CIES), Economia Global e Gestão (INDEG/PROJECTOS), Trajectos – Revista de Comunicação, Cultura e Tecnologias da Informação (Secção de Comunicação, Cultura e Educação do Departamento de Sociologia).

Investigación y Estudios de Sociología – CIES y la Unidad de Investigación en Desarrollo Empresarial – UNIDE.

Así mismo, son todavía centros asociados en el área de la formación y servicios a la comunidad, los siguientes: Centro de Investigación de Mercados Activos y Financieros – CEMAF; Centro de Estudos de Urbanismo y Arquitectura – CEUA; Centro de Investigación y Formación en Mercadeo – GIEM; Grupo de Investigación Estadística y Análisi de Datos – GIESTA; Instituto de Estudos de Logística y Gestión Global – In Out Global y el Apoyo a Programas de Investigación Científica y Graduación Académica – OVERGEST.

En el vector de la prestación de servicios a la comunidad se fueron creando múltiples conexiones a empresas y organizaciones (estatales y de la sociedad civil) a través de profesores y graduados del ISCTE. Se destaca en este plano, EL Instituto para el Desarrollo de la Gestión (INDEG), que desarrolla una acción, de gran reconocimiento público, en la formación, post-graduación y en la investigación y servicios a la comunidad, en las áreas de su responsabilidad.

Con el decidido apoyo del Ministerio de la Tutela y el reconocimiento público de la comunidad a la cual pertenece es posible verificar la evolución y desarrollo consecuentes del ISCTE/INDEG, confirmativos de su lugar en la red del sistema de educación superior universitaria portuguesa, como unidad(es) de referencia.

En el universo de sus áreas de investigación están relacionadas con estos Centros y a los Departamentos, a quien cabe la responsabilidad editorial, ocho revistas, que son las siguientes: **Ciudades, Comunidades y Territorios** (CET), **Etno-**

tectura – CEUA; Centro de Investigação e Formação em Marketing – GIEM; Grupo de Investigação Estatística e Análise de Dados – GIESTA; Instituto de Estudos de Logística e Gestão Global – In Out Global; Centro de Investigação e Informação para a Gestão - GEST-IN; Centro de Investigação em Empreendedorismo e Empresas Familiares – UNIAUDAX. On the vector of services to the community were created multiple connections to companies and organizations (state and civil society) through professors and professionals with a degree from ISCTE. At this level, it stands out the Instituto para o Desenvolvimento da Gestão (INDEG), developing an action, with a great public recognition, on training, post-graduation and investigation and services to the community, within its areas of competence. In the universe of its investigation areas, are connected with these Centers and Departments, with editorial responsibility, eight publications, as follows: Cidades. Comunidades e Territórios (CET), Etnográfica (CEAS), Ler História (CEHCP), Revista Portuguesa e Brasileira de Gestão (edited in Portugal by INDEG/ISCTE), a partnership with Fundação Getúlio Vargas from Brazil, Revista Urbanismo de Origem Portuguesa (associated to the Arquivo Virtual de Cartografia Urbana), Sociologia, Problemas e Práticas (CIES), Economia Global e Gestão (publication edited by INDEG/PROJECTOS), Trajectos – Revista de Comunicação, Cultura e Tecnologias da Informação (Section of Communication, Culture and Education from the Department of Sociology). ISCTE has a central Library, specialized in the areas of social sciences, business and technological available to the scientific community and to society in general, as a reference unit within the scope of its investigation and teaching domains, as well the INDEG/ISCTE Documentation centre, specialized on Management Sciences area. ISCTE is, today, a reference unit on the Portuguese university higher education teaching panorama. With a school population around 7000 students (around 5000 are degree students and 2000 post-graduation, masters and doctoral students) is an institution with prestige on the field of teaching, investigation and insertion in the Portuguese society. Is integrated on several international networks, either through its teaching staff and investigators, either through exchange of a high number of students on programs Erasmus/Sócrates/Leonardo da Vinci, where it registers one of the highest demand rates. At the international level, it should be stressed the masters courses on Cape Vert, Mozambique and Brazil, which have been happening for several years now. ISCTE is also important on the architecture field. Of the four buildings constituting this institute *campus*, two are **Valmor architecture prizes** and form a remarkable group on the work of the architect that now, gives place and significance to this exhibition, architect Hestnes Ferreira.

gráfica *(CEAS)*, Leer Historia *(CEHCP)*, Revista **Portuguesa y Brasilera de Gestión** (editada en Portugal por el INDEG/ISCTE), **Revista Urbanismo de Origen Portuguesa** (asociada al Archivo Virtual de Cartografía Urbana), **Sociología, Problemas y Prácticas** (CIES), **Economía Global y Gestión** (publicación editada pela INDEG/PROJECTOS), **Trayectos – Revista de Comunicación, Cultura y Tecnologías de la Información** (Sección de Comunicación, Cultura y Educación del Departamento de Sociología).
El ISCTE posee una Biblioteca Central, especializada en las áreas de las ciencias sociales, empresariales y tecnológicas que pretende ofrecer sus servicios a la comunidad científica y a la propia sociedad en general, como unidad de referencia en el ámbito de sus áreas de investigación y educación.
El ISCTE es hoy, una unidad de referencia en el panorama de la educación superior universitaria portuguesa. Con una población escolar de alrededor de 7000 alumnos (cerca de 5000 cursan las licenciaturas y 2000 los cursos de post-graduación, maestrías y doctoramiento) es una institución con prestigio en el plano de la educación, de la investigación y de la inserción en la sociedad portuguesa. Está integrado en varias redes internacionales, tanto por sus docentes e investigadores, como por el intercambio del elevado número de alumnos al abrigo de los programas *Erasmus/Sócrates/Leonardo da Vinci*.
El ISCTE se consolida también en el campo arquitectónico. De los cuatro edificios que constituyen el de este Instituto, dos son premios Valmor de arquitectura y forman de esta manera un conjunto señalable en la obra del arquitecto que actualmente origina y da significado a esta exposición, el arquitecto Hestnes Ferreira.

O ISCTE possui uma Biblioteca Central, especializada nas áreas das ciências sociais, empresariais e tecnológicas que disponibiliza os seus serviços à comunidade científica e à própria sociedade em geral, como unidade de referência no âmbito dos seus domínios de investigação e ensino, bem como o centro de Documentação do INDEG/ISCTE especializado nas áreas das Ciências da Gestão.
O ISCTE é, hoje, uma unidade de referência no panorama do ensino superior universitário português. Com uma população escolar à volta dos 7000 alunos (cerca de 5000 frequentam as licenciaturas e 2000 os cursos de pós-graduação, mestrados e doutoramentos) é uma instituição com prestígio no plano do ensino, da investigação e da inserção na sociedade portuguesa. Está integrado em várias redes internacionais, quer através dos seus docentes e investigadores, quer através do intercâmbio de elevado número de alunos ao abrigo dos programas Erasmus/Sócrates/Leonardo da Vinci, nos quais regista uma das mais altas taxas de procura. No plano internacional são ainda de assinalar os cursos de mestrado que há vários anos mantém em Cabo Verde, Moçambique e Brasil.
O ISCTE afirma-se igualmente no campo arquitectónico. Dos quatro edifícios que constituem o campus deste Instituto, dois são **Prémios Valmor de Arquitectura** e formam assim um conjunto assinalável na obra do arquitecto que dá, agora, lugar e significado a esta exposição, o arquitecto Hestnes Ferreira.

Helena Roseta
Presidente da Ordem dos Arquitectos
Lisboa, Fevereiro 2006

The *Instituto Superior das Ciências do Trabalho e da Empresa* (ISCTE) commemorates its thirty third anniversary with a retrospective exhibition from Architect Raúl Hestnes Ferreira. It is not only an exhibition of the "house" ISCTE. It is an exhibition of the entire work of the Architect who gave shape, body and a unique identity to this institution. An initiative without equal on the national panorama, which recognizes the architecture role and that of his author, on an academic institution.

I associate to ISCTE in a natural and familiar way, friends and partners of uncountable initiatives. But also the buildings that throughout the years created a small city, the ideal scene to embrace knowledge – sociology, management, architecture, anthropology, economy among others – on a school that correctly names itself as metropolitan.

Raúl Hestnes, fruit of the destiny or other coincidences, is associated to ISCTE since its beginning: a block with a turret was repeated and articulated until the square, centre of Building 1, was built; far away, but at the same time close by, latter on was, built the INDEG building. A little latter, appears the Autonomous Wing, with an umbilical connection to the mother building, through a subterraneous tunnel. To a new yard, that becomes a terrace open to the university city, one can have access from a staircase, a street and a tunnel. Finally, was built the Build-

El Instituto Superior de las Ciencias del Trabajo y de la Empresa (ISCTE) conmemora su trigésimo tercer aniversario con una exposición retrospectiva del Arquitecto Raúl Hestnes Ferreira. No es apenas una exposición de la "casa" del ISCTE. Es una exposición de toda la obra del Arquitecto que dió forma, cuerpo e identidad singular a esta institución. Una iniciativa inédita en el panorama nacional, que reconoce el papel de la arquitectura y de su autor en una institución de educación superior.

Asocio al ISCTE, con naturalidad y familiaridad, amigos y compañeros de innumerables iniciativas. Pero también con los edificios que a lo largo del tiempo fueron creando una pequeña urbe, imagen ideal para acoger sabiduría - sociología, gestión de empresas, arquitectura, psicología, antropología, economía, entre otras – de la escuela que corregidamente se dice metropolitana.

Raúl Hestnes, fruto del destino o de otras coincidencias, esta asociado al ISCTE desde su inicio: un bloque con torreón se fue repitiendo y articulando hasta construir la plaza que fue el centro del Edificio 1; distante, pero al mismo tiempo cercano, fue construido el edificio del INDEG. Un poco más tarde surge el Ala Autónoma, umbilicalmente ligada al edificio madre por un túnel subterráneo. Se accede a un nuevo patio, que pasa a ser un una terraza abierta a la ciudad universitaria, se accede a partir de una escalera,

O Instituto Superior das Ciências do Trabalho e da Empresa (ISCTE) comemora o seu trigésimo terceiro aniversário com uma exposição retrospectiva do Arquitecto Raúl Hestnes Ferreira. Não é apenas uma exposição da "casa" do ISCTE. É uma exposição de toda a obra do Arquitecto que deu forma, corpo e uma identidade singular a esta instituição. Uma iniciativa inédita no panorama nacional, que reconhece o papel da arquitectura e do seu autor numa instituição de ensino superior.

Ao ISCTE associo com naturalidade e familiaridade amigos e parceiros de inúmeras iniciativas. Mas também os edifícios que ao longo de anos foram criando uma pequena urbe, imagem ideal para acolher os saberes - sociologia, gestão de empresas, arquitectura, psicologia, antropologia, economia, entre outros - da escola que com correcção se diz metropolitana.

Raúl Hestnes, fruto do destino ou de outras coincidências, está associado ao ISCTE desde o seu inicio: um bloco com torreão foi-se repetindo e articulando até construir a praça que é o centro do Edifício 1; distante, mas ao mesmo tempo próximo, foi depois construído o edifício do INDEG. Um pouco mais tarde surge a Ala Autónoma, umbilicalmente ligada ao edifício mãe por um túnel subterrâneo. A um novo terreiro, que passa a ser uma esplanada aberta à cidade universitária, se acede a partir de uma escadaria, uma rua e um túnel. Finalmente, construído o Edifício II, a esplanada transforma-se na praça central da escola e o ISCTE impõe-se à cidade de Lisboa. A circulação contínua, os espaços de encontro, as diferentes escalas, os atravessamentos e múltiplas ligações são características que aqui nos transmitem essa inesperada e permanente sensação: mais do que numa escola, estamos numa cidade aberta.

Cidade aberta e participada para cuja construção Raul Hestnes se encontra permanentemente disponível. Num debate organizado pela Ordem dos Arquitectos há um ano atrás, sobre o lugar da participação no planeamento, Raúl Hestnes recordou a sua experiência no Serviço de Apoio Ambulatório Local, o Bairro das Fonsecas, no período que se seguiu ao 25 de Abril. Mais do que a obra ou o projecto, falou das pessoas e das suas lutas colectivas, nesse momento em que a democracia se estava a construir no dia-a-dia e em que o arquitecto era apenas mais um, ao lado da Comissão de Moradores. Hestnes Ferreira foi também, mais recentemente, o animador do debate sobre a transformação do Convento dos Inglesinhos, no Bairro Alto, num condomínio privado fechado. No actual contexto da globalização, a pressão imobiliária tem vindo a multiplicar este tipo de situações, comprometendo a vocação de património urbano que devia permanecer aberto e que assim fica reservado ao usufruto de muito poucos.

Autor do muito interessante e significativo conjunto de edifícios dos ISCTE, do já referido Bairro das Fonsecas, da Casa da Cultura da Juventude de Beja, da Escola Secundária José Gomes Ferreira, da remodelação do Marti-

una calle y un túnel. Ya construido el Edificio II, la terraza se transforma en la plaza central de la escuela y el ISCTE se impone a la ciudad de Lisboa. La circulación continua, los espacios de encuentro, las diferentes escalas, los cruzamientos y múltiples conexiones son características que aquí nos transmiten esa inesperada y permanente sensación: más que una escuela, estamos en una ciudad abierta.

Ciudad abierta y solicitada, para cuya construcción Raúl Hestnes se encuentra permanentemente disponible. En un debate organizado por el Colegio de Arquitectos hace un año, sobre el lugar de la participación en la planificación, Raúl Hestnes recordó su experiencia en el Servicio de Apoyo Ambulatorio Local, el Barrio de las Fonsecas, en el período que siguió al 25 de Abril. Más que la obra o el proyecto, habló de las personas y de sus luchas colectivas, en ese momento en que la democracia se estaba construyendo día a día y en la que el arquitecto era apenas uno más, al lado de la junta de vecinos. Hestnes Ferreira fue también, más recientemente, el animador del debate sobre la transformación del Convento de los Inglesitos, en el Barrio Alto, en un conjunto residencial privado cerrado. En el contexto actual de la globalización la presión inmobiliaria ha venido a multiplicar este tipo de situaciones, comprometiendo la vocación del patrimonio urbano que debía permanecer abierto y que de esta manera queda reservado al disfrute de muy pocos.

Autor del muy interesante y significativo conjun-

ing II and the terrace turns into the school's central square and ISCTE imposes itself to Lisbon city. Here, the continuous circulation, the meeting spaces, the different scales, the crossings and multiple connections, send out that unexpected and permanent sensation: more than at a school, we are on an open city.

Open a participated city for whose construction Raul Hestnes is permanently available. During a debate organized by the Architects Order, a year ago, about the place of participation on planning, Raúl Hestnes reminded his experience on the *Serviço de Apoio Ambulatório Local* (Service of Local Ambulatory Support), the *Bairro das Fonsecas* (Fonsecas' Neighbourhood), in the period after the 25th of April (of 1974). More than the work or the project, he spoke about people and their collective fights, on that moment where democracy was being built on a day-to-day basis, and where the architect was only one more, side by side with the neighbours commission. Hestnes Ferreira was also, more recently, the drive of the debate about the *Convento dos Inglesinhos* transformation, in *Bairro Alto*, into a closed private condominium. On the present globalization context, the real estate pressure has been multiplying this kind of situations, compromising the urban patrimony vein that should remain open, and that in this manner is reserved to be enjoyed by few.

Author of the very interesting and significant group of ISCTE buildings, the already mentioned *Bairro das Fonsecas*, of the *Casa da Cultura da*

Juventude de Beja (House of Youth Culture from Beja), of the *Escola Secundária José Gomes Ferreira* (High School José Gomes Ferreira) , of the remodelling of *Martinho da Arcada,* of one of the valorisation plans for Chelas integrated in VALIS program (Lisbon valorisation), Raúl Hestnes is much more than that: he is an author ethically committed, a man who believes in the construction of a better world and as, an architect and a citizen, always rhymed his work with his convictions.

to de edificios de los ISCTE, del ya citado Barrio de las Fonsecas, de la Casa de la Cultura de la juventud de *Beja*, de la Escuela Secundaria José Gomes Ferreira, de la remodelación de *Martinho da Arcada*, de uno de los planos de valorización de *Chelas* integrado al programa VALIS (valorización de Lisboa), Raúl Hestnes es mucho más que eso: es un autor éticamente empeñado, un hombre que cree en la construcción de un mundo mejor y que como arquitecto y ciudadano, siempre hizo rimar su obra con sus creencias.

nho da Arcada, de um dos planos de valorização de Chelas integrado no programa VALIS (valorização de Lisboa), Raúl Hestnes é muito mais do que isso: é um autor eticamente empenhado, um homem que acredita na construção de um mundo melhor e que, como arquitecto e como cidadão, sempre fez rimar a sua obra com as suas convicções.

A ordem do objecto único

La posición del objeto único
The Order of the Unique Object

Alexandre Alves Costa
Porto, Novembro 2005

Raul Hestnes studied both in Lisbon and Oporto, with a passage through Finland in the middle of its studies. From the Lisbon School where, among other colleagues, he was expelled, he does not take important elements to his professional training. From Oporto yes, it can be perceived that his main reference, at that time is Fernando Távora, *modern already with a new perspective*, his lessons and his presence, the discovery through him, of Zevi and Wright. In Finland he visits Aalto.

It is, however, with the speakers of the second modern generation, of the ideological generation, that Hestnes establishes professional relations. He himself, belongs, however, to a generation, that develops contacts with other formal contributions. One can say that between the internationalists companionship and Távora's lesson, he finds Aalto, trying to overcome the boundaries of any regional particularities, coming out of national architecture's dimension and, latter on, of any national dimension.

On the United States, *between a thousand and one nationalities and ways of feeling*, he finds Louis Kahn: *he spoke of the more profound sense of space*.

Hestnes will find in Khan the privileged instrument of renovation on the search for architecture's essence and its universality. Therefore he cuts the bonds with neo-realism and becomes

Raúl Hestnes estudió en Lisboa y en Porto, haciendo una estadía, a mitad de su carrera, en Finlandia. De la Escuela de Lisboa, de la cual fue expulsado juntamente con otros compañeros, el propio no retira elementos importantes para su educación. De Porto si, conociendo que su referencia principal, en esa época, es Fernando Távora, *moderno ya con una perspectiva nueva*, sus lecciones y su presencia, el descubrimiento a través de él, de Zevi y de Wright. En Finlandia visita Aalto.

Es, sin embargo con los altoparlantes de lo moderno de la segunda generación, de la generación ideológica, que Hestnes establece relaciones profesionales. Él propio pertenece, sin embargo, a una generación que promueve contactos con otros atributos formales. Se puede decir que entre la convivencia de los internacionalistas y el nexo a Távora, encuentra Aalto, buscando sobrepasar los límites de cualquier particularismo regional, saliendo de la dimensión nacional de la arquitectura y, mas tarde, de cualquier dimensión nacional.

En los Estados Unidos, *entre mil y una nacionalidades, y formas de sentir*, encuentra a Louis Kahn: *el hablaba del sentido mas profundo del espacio*.

Hestnes va a encontrar en Khan el instrumento privilegiado de una renovación en la búsqueda de la esencia de la arquitectura y de su universali-

Raul Hestnes estudou em Lisboa e no Porto, com uma passagem pela Finlândia a meio do curso. Da Escola de Lisboa, de que foi expulso com outros colegas, ele próprio não retira elementos importantes para a sua formação. Do Porto sim, percebendo-se que a sua referência principal, nessa época, é Fernando Távora, *moderno já com uma perspectiva nova*, as suas lições e a sua presença, a descoberta através dele de Zevi e de Wright. Na Finlândia visita Aalto.

É, no entanto, com os porta vozes do moderno da segunda geração, da geração ideológica, que Hestnes estabelece relações profissionais. Ele próprio pertence, no entanto, a uma geração que desenvolve contactos com outros contributos formais. Pode dizer-se que entre o convívio dos internacionalistas e a lição de Távora, encontra Aalto, buscando ultrapassar os limites de qualquer particularismo regional, saindo da dimensão nacional da arquitectura e, mais tarde, de qualquer dimensão nacional.

Nos Estados Unidos, *entre mil e uma nacionalidades e formas de sentir*, encontra Louis Kahn: *ele falava do sentido mais profundo do espaço*.

Hestnes vai encontrar em Khan o instrumento privilegiado de uma renovação na procura da essência da arquitectura e da sua universalidade. Assim se desprende do neo-realismo e se torna um estrangeirado. E é dessa distância que como todos os estrangeirados, vai procurar entender a nossa própria, portuguesa, cultura arquitectónica.

De Kahn e com ele procura as origens da cultura arquitectónica ocidental e, por aí, os modelos seminais da arquitectura romana e tudo o que, em serena e coerente continuidade, vai encontrando em Itália.

Raul Hestnes chegou ao Mediterrâneo por um longo e sinuoso caminho, do Porto à Finlandia, da ordem dos Modernos a Kahn, de Roma à universalidade da ordem compositiva. Chegou mais tarde a Itália do que muitos outros da sua geração porque nunca lhe interessaram as razões estilísticas que tanto os estusiasmaram

No entanto, a singularidade da sua obra no panorama português e internacional não é o resultado da sua biografia, sendo, pelo contrário, esta que é profundamente condicionada pela força das suas convicções disciplinares, de cidadão português e do mundo.

Em tempos escrevi sobre ele e isso constituiu um exercício intelectual muito estimulante porque sendo amigos como somos e com tantos entendimentos comuns, nos separa saudavelmente o "como" pensamos e "fazemos" arquitectura. O Raul Hestnes e as suas obras encaminham-nos por caminhos outros para poderem ser entendidas e não desentendidas por uma avaliação crítica que utilize critérios que lhe são completamente alheios. Obrigando-nos a seguir outros rastros, podemos aceitar o desafio ou preguiçar. Essa dúvida, mais do que legítima, atrasou o meu empenho crítico que, finalmente ultrapassada a inércia, me veio a alegrar como se tivesse decifrado um enigma e disso tivesse saído, como saí, enriquecido. Escrevi de início com cautela, ganhando pouco a pouco e com o próprio construir da escrita, maior convicção.

dad. De esta forma se desprende del neo-realismo y se vuelve un extranjerizado. Y es de esa distancia, que como todos los extranjerizados, va a tratar de entender nuestra propia cultura arquitectónica portuguesa.

De Kahn y con él busca los orígenes de la cultura arquitectónica occidental y, por ahí, los modelos seminales de la arquitectura romana y todo lo que, en serena e coherente continuidad, va encontrando en Italia.

Raúl Hestnes llegó al Mediterráneo por un largo y sinuoso camino, desde Porto a Finlandia, de la orden de los Modernos a Kahn, de Roma a la universalidad de la clase compositiva. Llego más tarde que muchos otros de su generación a Italia porque nunca le interesaron las razones estilísticas que tanto los entusiasmaron a estos.

Sin embargo, la singularidad de su obra en el panorama portugués e internacional no es el resultado de su biografía, siendo, contrariamente, ésta la que es profundamente condicionada por la fuerza de sus creencias catedráticas, de ciudadano portugués y del mundo.

En algún tiempo escribí sobre él y eso constituyó un ejercicio intelectual muy estimulante porque siendo amigos como somos y con tantos entendimientos comunes, nos separa saludablemente "como" pensamos y "hacemos" arquitectura. Raúl Hestnes y sus obras nos conducen por otros caminos para que sean entendidas y no desentendidas por una calificación crítica que utilice criterios que le son completamente ajenos. Obligándonos a seguir otros rastros, podemos aceptar el desafío o flojear. Esta duda, más que legítima, retardó mi empeño crítico, que final-

a fond of foreign ways. And it is from that distance, like all adopters of foreign ways, that he will search to understand our own, Portuguese, architectural culture. From Kahn and with him, he looks for the origins of western architectural culture and, that way, the seminal models of roman architecture and all that, in a quiet and coherent continuity, he finds along the way, in Italy.

Raul Hestnes arrived at the Mediterranean through a long and winding path, from Oporto to Finland, from the order of Moderns to Kahn, from Rome to the universality of compositive order. He arrived on Italy latter than many others from his generation because the stylistic reasons that thrilled the others so much, never were of interest to him.

Nevertheless, his work singularity on the Portuguese and international panorama is not the result of his biography, and, on the opposite, this one is strongly conditioned by the strength of his disciplinary beliefs, of a Portuguese but also a world citizen.

Earlier, I wrote about him and that constituted a very stimulating intellectual exercise, because being friends as we are and with so many mutual understandings, we are healthy separated by "how" we think and "do" architecture. Raul Hestnes and his works take us to other paths, to be understood and not misunderstood by a critical evaluation using criteria that are completely strange to him.

By forcing us to follow other traces, we can accept the challenge or laze. That doubt, more than legitimate, delayed my critical commitment that,

Aparentemente o seu processo é dedutivo, avançando de plataforma em plataforma. Parece que uma primeira ideia de forma não existe à partida, mesmo que nebulosa a ganhar nitidez num processo de clarificação, verificação e aprofundamento, em que o desenho é instrumento de pesquisa indispensável, à maneira do que temos defendido na chamada "escola do Porto". Em Hestnes, nada parece aproximar-se deste processo metodológico. O desenho tem para ele outros usos. E foi aqui, mais do que em algum vocabulário, que encontramos a sua identificação com o pensamento de Louis Khan. Há nele como que dois caminhos convergentes. Um procura a forma, abstracta, universal – a estrutura, a ordem, o "programa secreto", a história que o edifício vai contar. É como que um pensamento clássico em acção sem as barreiras nem os limites dos condicionalismos de qualquer codificação prévia. O segundo caminho, parte do programa real e da sua complexidade, da escolha dos materiais, buscando a individualidade de cada projecto na sua causalidade mais imediata o que lhe configura uma assumida contemporaneidade.

O percurso de Raul Hestnes é solitário e de serena independência. Cada obra é um acontecimento imprevisível a promover, antes de mais, a sua própria razão de ser, universal e, ao mesmo tempo, única. A sua liberdade constrói-se em rigorosa disciplina intelectual que vai exigindo delicadamente aos outros. Tem sido uma espécie de consciência moral. A solidez da sua figura e da sua obra nunca foi limite para a afirmação permanente de uma assumida artisticidade.

mente sobrepaso la inercia, me vino a alegrar como si hubiera descifrado un enigma y de eso hubiera salido, como salí, enriquecido. Escribí desde el inicio con precaución, ganando poco a poco y con el propio construir de la escritura, mayor convicción.

Aparentemente su proceso es deductivo, avanzando de plataforma en plataforma. Parece que una primera idea de forma no existe como punto de partida, aunque nebulosa ganando nitidez en un proceso de clarificación, verificación y profundización, en el que el diseño es el instrumento de búsqueda indispensable, en el modo de lo que hemos defendido en la llamada "escuela de Porto". En Hestnes, nada parece acercarse a este proceso metodológico. El diseño tiene otros usos para él. Y fue aquí, más que en algún vocabulario, que encontramos su identificación con el pensamiento de Louis Khan. Existen en él como que dos caminos convergentes. Uno busca la forma, abstracta, universal – la estructura, el orden, el "programa secreto", la historia que el edificio va a contar. Es como que un pensamiento clásico en acción sin las barreras ni los límites de los condicionalismos de cualquier codificación previa. El segundo camino, parte del programa real y de su complejidad, de la escogencia de materiales, buscando la individualidad de cada proyecto, en su casualidad más inmediata, lo que le confiere una asumida contemporaneidad.

La trayectoria de Raúl Hestnes es solitaria y de serena independencia. Cada obra es un acontecimiento imprevisible para promover, antes que nada, su propia razón de ser, universal, y al

when finally the inertia was surpassed, rejoiced me as if I had deciphered an enigma and had come through, as I did, enriched. At the beginning I wrote with caution, gaining little by little, and with the very construction of writing, a greater conviction.

Apparently, his process is deductive, advancing from platform to platform. It seems as if a first idea of shape is not present at departure, even as a cloudy one, gaining sharpness on a clarification, verification and deepening process, where drawing is an indispensable search instrument, in the manner we have been defending in the so called "Oporto school". In Hestnes, nothing seems to come close to this methodological process. Drawing has other uses for him. And it was here, more than in any vocabulary, that we find his identification with Louis Khan's thinking. As if in him, two convergent paths coexist. One searches shape, abstract and universal – structure, order, the "secret program", the history the building will tell. It is like a classical thinking in action without the barriers nor the limits of any previous coding conditionals. The second path, departs from the real program and from its complexity, from materials choice, searching for each project's individuality on its more immediate causality which forms an assumed contemporaneousness. Raul Hestnes's path is lonely and of quiet independence. Each work is an unpredictable event to promote, before anything else, its own reason for being, universal, and at the same time, unique. Its freedom is built on strict intellectual discipline, that gently demands form others. He has been a kind of moral conscience. The firmness of his figure and his work was never a limit to the permanent assertion of an assumed artistic sense.

In Coimbra, in the Architecture course, he demonstrated the highest didactical and professional competence, of dedication and generosity that transformed his presence of around twelve years on an essential and structural reference of the present Department, that considers him as one of the founders. He was, with others undoubtedly, a kind of teaching excellence guarantee. The lights opened during the night time, on the room where he taught, due to its visibility all around the city, gained the nickname of "lighthouse" to the Architecture degree.

mismo tiempo única. Su libertad se construye en estricta disciplina intelectual y va exigiendo delicadamente de los demás. Ha sido una especie de conciencia moral. La solidez de su figura y de su obra nunca fue limite para su afirmación permanente de un asumido caracter artístico.

En Coimbra, en la Carrera de Arquitectura, él dio las pruebas de mayor capacidad didáctica y profesional, de dedicación y generosidad que transformaron cerca de doce años en una referencia esencial y estructural del actual Departamento que lo tiene como uno de sus fundadores. Él fue, juntamente con otros, ciertamente, una especie de garantía de la excelencia de la educación ahí impartida. Las luces prendidas durante la noche, en la sala donde ejerció su magisterio, transportaron, dada su visibilidad en toda la ciudad, el lindísimo apodo de "farol" para la Carrera de Arquitectura.

Em Coimbra, no Curso de Arquitectura, ele deu as suas provas maiores de competência didáctica e profissional, de dedicação e generosidade que transformaram a sua presença de cerca de doze anos numa referência essencial e estrutural do actual Departamento que o tem como um dos seus fundadores. Ele foi, com outros é certo, uma espécie de garantia de excelência do ensino ali ministrado. As luzes acesas durante a noite, na sala onde exerceu o seu magistério, acarretaram, dada a sua visibilidade em toda a cidade, a lindíssima alcunha de "farol" para o Curso de Arquitectura.

Desenhos de Raúl Hestnes

Diseños de Raúl Hestnes

Raúl Hestnes's Drawings

Ana Tostões
Lisboa, Outubro 1998

Architecture has been shown in many ways. In words, with a text intending to summarize its development. With photographs, portraying buildings that "make" history. Through, so called strict representations, of project. Finally, with drawings from architects or models, study architectural models.

It is of drawings, beautiful drawings, powerful drawings, presented alongside with the study architectural models, that this exhibition is all about; idea on the move.

Idea, because drawing deletes the distinction between what it was and what it was not built. These drawings condensate architectural ideas, preserving what is culturally valid and that may even, have been lost on architectural consummation. Raúl Hestnes's creativity appears in its pure form of free visions not affected by compromise.

Apparently, apart from reality, because they are a "mental thing" and immaterial, their constructing impulse contributes to transform. They are the clearest indication of a project's genesis. The baseline idea leaves its marks on the paper, even if the next stages are visible in overlapped layers. The creative process decodes itself as a geological formation.

Technique, charcoal, mode of presentation on translucent drawing paper, unlimited format, line and expression handling, reveal the architect's intellectual intention. Passionate testi-

La arquitectura ha sido mostrada de vários modos. En palabras, en texto pretendiendo resumir su desarrollo. Con fotografías, mostrando edificios que "hacen" historia. A través de representaciones llamadas exigentes de proyecto. Finalmente con diseños de arquitectos o modelos, maquetas de estudio.

Es de diseños, bellísimos diseños, poderosos esbozos, presentados a la par de maquetas de estudio, que trata esta muestra; idea en movimiento.

Idea, porque el diseño elimina la distinción entre lo que fue construido y lo que no fue construido. Estos esbozos condensan ideas arquitectónicas, preservando lo que es esculturalmente válido y lo que podrá haber sido perdido en la consumación arquitectónica.

La creatividad de Raúl Hestnes aparece en su pura forma de libres visiones no afectadas por el compromiso.

Aparentemente alejadas de la realidad, porque "cosa mental" e imatérica, su impulso constructor contribuye para transformar. Son la señal más clara del origen del proyecto. La idea básica deja sus marcas en el papel, aunque los estadios siguientes sean visibles en capas superpuestas. El proceso creativo se descodifica por si solo como una formación geológica.

Técnica, el carboncillo, forma de presentación sobre esbozo, formato ilimitado, manoseamiento de la línea y expresión, reveladores de la in-

A arquitectura tem sido mostrada de vários modos. Em palavras, com um texto que pretende resumir o seu desenvolvimento. Com fotografias, mostrando edifícios que "fazem" história. Através de representações ditas rigorosas de projecto. Finalmente com desenhos de arquitectos ou modelos, maquetes de estudo.

É de desenhos, belíssimos desenhos, poderosos esquiços, apresentados a par de maquetes de estudo, que trata esta mostra; ideia em movimento.

Ideia, porque o desenho elimina a distinção entre o que foi e não construído. Estes esquiços condensam ideias arquitectónicas, preservando o que é culturalmente válido e que poderá mesmo ter sido perdido na consumação arquitectónica.

A criatividade de Raúl Hestnes aparece na sua pura forma de livres visões não afectadas pelo compromisso.

Aparentemente afastadas da realidade, porque "coisa mental" e imatérica, o seu impulso construtor contribui para transformar. São a indicação mais clara da génese do projecto. A ideia base deixa as suas marcas no papel, mesmo que os estágios seguintes sejam visíveis em camadas sobrepostas. O processo criativo descodifica-se por si próprio como uma formação geológica.

Técnica, o carvão, modo de apresentação, sobre esquiço, formato ilimitado, manuseamento da linha e expressão são reveladores da intenção intelectual do arquitecto. Teste-

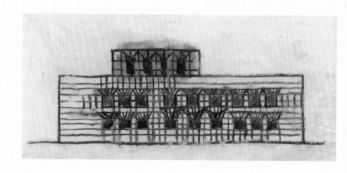

munhos apaixonados, porque "exactos", embora de limites fluídos, são esboços de arquitectura que ultrapassam o limite, atingindo essa extensão aberta, a dos desenhos à mão livre manuseando a linha com "toque de mestre".

Movimento porque assenta em experiências sobre a forma arquitectónica, uma caminhada aventurosa da intuição através do espaço e do tempo. Com Raúl Hestnes, a nova atenção à forma arquitectónica significa uma reavaliação do desenho de arquitectura como disciplina específica. E o desenho é certamente o melhor meio para traçar a essência da "vida" de uma arquitectura que é capaz de viver em si.

Uma poderosa tradição parece encontrar força de expressão singular nestes desenhos que evocam formas primárias e tipologias arquitectónicas. Peças geométricas são transformadas por obsessivo jogo lúdico com intenso, quase obstinado, traço a carvão. Modelações tectónicas transformam a geografia, apropriam-se do território, participando da sua espessura e densidade. O rigor, sempre presente, é encorpado, cheio, humanizado como se de uma carnalidade feita carvão atravessasse a geometria em gesto e movimento.

Esboços rápidos, de um só golpe, muitas vezes inacabados, são testemunhos vivos do percurso criativo de Raúl Hestnes. Os modelos, trabalho laboratorial, experimental de atelier, confrontam-se com a intimidade do desenho, com o traço genuíno, autêntico, que resgista a síntese da obra arquitectónica. Mão livre, plasticidade, expressão apaixonada, mas também procura da objectividade são prova de uma indomável energia.

tención intelectual del arquitecto. Testimonios apasionados, porque "exactos", aunque de límites fluidos, son esbozos de arquitectura que sobrepasan el límite, alcanzando esa extensión abierta, la de los diseños a mano alzada manoseando la línea con "toque de maestro". Movimiento porque se basa en experiencias sobre la forma arquitectónica, una recorrida aventurera de la intuición a través del espacio y del tiempo. Con Raúl Hestnes, la nueva atención a la forma arquitectónica significa una recalificación del diseño de arquitectura como materia específica. Y el diseño es ciertamente el mejor medio para trazar la esencia de la "vida" de una arquitectura que es capaz de vivir en si.

Una poderosa tradición parece encontrar fuerza de expresión singular en estos diseños que evocan formas primarias y tipologías arquitectónicas. Piezas geométricas son transformadas por obsesivo juego lúdico, con intenso, casi obstinado, trazado a carboncillo. Modelaciones tectónicas transforman la geografía, se apropian del territorio, participando de su espesor y densidad. La exigencia siempre presente, fuerte, lleno, humanizado como si una carnalidad hecha carbón atravesara la geometría en gesto y movimiento.

Esbozos rápidos, de un solo golpe, muchas veces no terminados, son testimonios vivos de la trayectoria creativa de Raúl Hestnes. Los modelos, trabajo de laboratorio, experimental de atelier, se confronta con la intimidad del diseño, con el trazado genuino, auténtico, que registra la síntesis de la obra arquitectónica. Mano alzada, plasticidad, expresión apasionada, pero también búsqueda de la objetividad, son prueba de una indomable energía.

monies, because they are "exact", though with fluid boundaries, are architectural sketches that surpass the limit, reaching that open extension, free hand drawings handling lines with a "master's touch".

Movement, because it lays on experiences about architectural form, an adventurous walk of intuition within space and time. With Raúl Hestnes, the new attention to architectural form means a re-evaluation of architectural drawing as a specific subject. And drawing is certainly the best way to trace the essence of "life" of an architecture capable to live within itself.

A powerful tradition seems to find an unique strength expression on these drawings that evoke primary forms and architectural typology. Geometrical pieces are transformed by an obsessive play instinct game with intense, almost obstinate charcoal traces. Tectonic modelling transforms geography; take over the territory, participating of its thickness and density. The strictness, always present, is dense, full, humanised, as if it was from a flesh made charcoal crossing geometry in gesture and movement.

Rapid sketches, with a single stroke, often unfinished, are live testimonies from Raúl Hestnes's creative path. The models, lab work, atelier experimentation, are confronted with drawing intimacy, with a genuine, authentic, registering the architectural work synthesis. Free hand, plasticity, passionate expression, but also, search for strength are proof of an indomitable energy.

Viagem a carvão no Brasil do café pelos grandes nórdicos lagos gelados

Viaje a carboncillo en el Brasil del café por los grandes lagos nórdicos helados

Charcoal travel in coffee's Brazil through the great icy nordic lakes

Manuel Graça Dias
Lisboa, Julho 1998

Ideas progress, advance, grow, are born, model and spill over, they dominate, cross and force the drawings. Drawings that, surely, influence, save, narrow, enlarge and increase them also.
The idea increases when the drawing announces it, comes closer, opens in her (from her) juice and flourishes.
(Goes, a well speaking boy in Brazil, a mulatto from the XIX century, with coconut on his wide crisp curled hair and the rests of an elegant jacket, barefoot, comes close to a rock serving as bench where a *baiana* sells corn, corn ears. They are by the shadow of a dark red wall, the heat and the smell in the air, the dust on the black man's feet blouse him for ever the ripped and dirty colors).
You are, at the same time, putting a sketch onto the wall, so big that the roll is over, the telephone is somewhere inside ringing, we have the sun coming inside Villa Sousa, the esquisso prepared, waiting for the charcoal. Two lines with feeling are born. Advance, cover the paper, they go on the direction of shape, curve and then elongate; you are drawing well, you are happy; you see from behind, solutions for the rest that you were missing, you continue, 10 minutes have passed, you move away the long Norwegian hair (the black man goes away with the pipe on his lips); it smells like roast corn, a late hammering can be heard, a kind of carpentry climbing from the yard; the sun already goldens the green tiles, Bjork moans on the air and far away on Tagus goes the reflex of a orange *cacilheiro*.
The idea remained, mnemonic, on the paper, awaiting the project while you whistle popular songs.

Las ideas progresan, avanzan, crecen, nacen, se plasman y se borran, ellas son las que dominan, cruzan y obligan los diseños. Diseños que ciertamente las influyen, rescatan, aprietan, alargan y aumentan también.
La idea aumenta cuando el diseño la anuncia, se acerca, abre en ella (de ella) y florece.
(Va, un muchacho bien hablado en Brasil, un moreno del siglo XIX, con coco en el cabello enroscado largo y restos de un palto elegante, descalzo; se acerca a una piedra que hace de asiento donde una bahiana vende maíz, mazorcas. Están acostados a la sombra de una pared roja oscura, el calor y el olor en el aire, en polvo en los pies del negro mancha para siempre los colores rasgados y manchados).
Estas tu, al mismo tiempo, colgando un esbozo en la pared, tan grande que el rollo se acabó, el teléfono esta allá dentro tocando, tenemos el sol entrando en *Villa Sousa*, es un esbozo armado, en espera del carboncillo. Nacen después rayas sentidas, avanzan, cubren el papel, ellos van en la dirección de la forma, se curvean, después se alargan; tu estas diseñando bien, estás feliz; ves por atrás, soluciones para lo que faltaba, continuas, pasaron 10 minutos, te apartas el larga cabello noruego (el negro se aleja con la *gaita* en los labios); huele el maíz asado, oye una martillar tardío, una especie de carpintería que sube del patio; el sol ya dora las baldosas verdes, *Bjork* gime en el aire y va en el Tejo el reflejo a lo lejos de un casillero anaranjado.
La idea quedó, mnemotécnica, en la hoja de papel, esperando el proyecto mientras silbas una canción ligera.

As ideias progridem, avançam, crescem, nascem, plasmam-se e esborram-se, elas é que dominam, cruzam e obrigam os desenhos. Desenhos que, de certeza, as influem, resgatam, apertam, alargam, aumentam, também.
A ideia aumenta quando o desenho a anuncia, se aproxima, abre nela (dela) sumo e floresce.
(Vai, um moço bem falante no Brasil, um mulato do século XIX, com coco na carapinha larga e restos de paletó elegante, descalço, aproxima-se duma pedra de assento onde uma baiana vende milho, maçarocas. Estão encostados à sombra de uma parede vermelho escuro, o calor e o cheiro no ar, o pó nos pés do preto blusa-lhe para sempre as cores rasgadas e encardidas).
Estás tu, ao mesmo tempo, a prender um esquisso à parede, tão grande que o rolo acabou, o telefone está lá para dentro a tocar, temos o sol a entrar na Villa Sousa, o esquisso armado, à espera do carvão. Nascem depois riscos sentidos. Avançam, cobrem o papel, eles vão na direcção da forma, curvam, depois alongam-se; tu estás a desenhar bem, estás feliz; vês por trás, soluções para o resto que te faltava, continuas, passaram 10 minutos, afastas o longo cabelo norueguês (o preto afasta-se com a gaita nos beiços); cheira a milho assado, ouve-se um martelar tardio, uma espécie de carpintaria que sobe do pátio; o sol já doura os azulejos verdes, Bjork geme no ar e vai no Tejo o reflexo ao longe de um cacilheiro alaranjado.
A ideia ficou, mnemónica, na folha de papel, aguardando o projecto enquanto assobias modinhas.

O trabalho de Raúl Hestnes Ferreira e o Complexo do ISCTE

El trabajo de Raúl Hestnes Ferreira y el Complejo del ISCTE

Raúl Hestnes Ferreira's work and the ISCTE Complex

Ahmet Gulgonen
Paris, Novembro 2005

It is difficult to think about a building or an urban design complex as isolated object or objects without making references to the architect and the time when his work has been produced. In fact every design work is a threshold between what the architect has accumulated until that time and the things on the way; it is an opening, a window with the views on both sides.

I knew Raúl more than 40 years ago, first as a classmate at the University of Pennsylvania at the Master's Class of Louis Kahn and later at the Kahn's office in Philadelphia. When we think that the teaching method of master's classes was "questioning" and the office of Kahn was not just a place where the young architects made the execution drawings or the study models, but participated in the conception of the projects, it is possible to understand the value of that precious master-assistant relationship. Equally during the sixties, Philadelphia and the school of architecture of the University of Pennsylvania were enriched with people like LeRicolais, Ronaldo Giorgola, Venturi and many others. These exceptional years were more significant for an architect like Raúl who had already a rich cultural background, political consciousness and social moral values.

After the Philadelphia years we met on several occasions in Paris, Brussels and a few years ago in Lisboa where I had the opportunity to visit

Es difícil pensar acerca de un edificio o de un *design* de complejo urbanístico, como un objeto aislado, sin hacer referencia al arquitecto y a la época en que el trabajo fue realizado. De hecho, cada trabajo de *design* es una frontera entre aquello que el arquitecto acumuló hasta aquella fecha y lo que esta por venir; es una apertura, una ventana con vista a ambos lados.

Conocí a Raúl hace más de 40 años, primero como colega en la *University of Pennsylvania* durante una *Master's Class* de Louis Kahn y más tarde en el atelier de Kahn en Filadelfia. Cuando pensamos que el método de educación en las "master's classes" era "questioning" y que el atelier de Kahn no era apenas, un local donde los jóvenes arquitectos realizaban los dibujos de ejecución o los modelos de estudio, sino también donde participaban en la concepción de los proyectos, es posible entender el valor de aquella preciosa relación maestro-asistente. Igualmente, durante los años sesenta, Filadelfia y la escuela de arquitectura de la *University of Pennsylvania* fueron enriquecidas por personas como LeRicolais, Ronaldo Giorgola, Venturi y muchos otros. Estos años excepcionales fueron más significativos para un arquitecto como Raúl, que ya tenía un *background* cultural rico, conciencia política y valores sociales morales.

Después de los años en Filadelfia, nos encontramos en diversas ocasiones en Paris , Bruselas y hace algunos años en Lisboa, cuando yo tuve

É difícil pensar acerca de um edifício ou do desenho de um complexo urbano, como objectos urbanos isolados, sem referenciar o arquitecto e a época em que o trabalho foi realizado. De facto, cada trabalho de *design* é uma fronteira entre aquilo que o arquitecto acumulou até aquela altura e o que está para vir; é uma abertura, uma janela com vistas de ambos os lados.

Conheci o Raúl há mais de 40 anos atrás, primeiro como colega na *University of Pennsylvania* durante a *Master's Class* de Louis Kahn e mais tarde no atelier de Kahn em Filadélfia. Quando pensamos que o método de ensino nas aulas era "questioning" e que o atelier de Kahn não era apenas um local onde os jovens arquitectos realizavam os desenhos de execução ou as maquetas de estudo, mas também onde participavam na concepção dos projectos, é possível entender o valor daquela preciosa relação mestre-assistente. Igualmente, durante os anos sessenta, Filadélfia e a escola de arquitectura da *University of Pennsylvania* foram enriquecidas por pessoas como LeRicolais, Ronaldo Giorgola, Venturi e muitos outros. Estes anos excepcionais foram mais significativos para um arquitecto como o Raúl, que já tinha um *background* cultural rico, consciência política e valores sociais morais.

Depois dos anos em Filadélfia, encontrámo-nos em diversas ocasiões em Paris, Bruxelas e há alguns anos atrás em Lisboa, quando eu tive a oportunidade de visitar o seu trabalho na cidade e compreender melhor o contexto, no qual foi produzido.

Eu sempre pensei que as oportunidades dos arquitectos nos países periféricos da Europa eram maiores, em comparação com os países da Europa central, como a França, Alemanha, etc. Em vez de fazerem o modo de arquitectura, eles faziam arquitectura. Aprendem com o trabalho dos artesãos, que não desapareceu totalmente. Portanto, comparando com os outros arquitectos na sua posição, o Raúl fez a diferença.

O seu trabalho tem muitas facetas, dimensões: por um lado relaciona-se com o Mediterrâneo, latino, origens romanas, e as experiências de Filadélfia foram um passo mais adiante nesse sentido. Para além disso, no seu trabalho podemos encontrar um certo sentido de humanismo escandinavo, na utilização magistral da escala humana e da sensibilidade em relação ao contexto e à paisagem, uma procura da liberdade para além das convenções da arquitectura inspirada em noções clássicas. Mas talvez o mais importante, seja a sua pertença a Portugal, a grande herança cultural do país com influências humanistas do sul e oriente e as imensas aberturas ao Oceano e às culturas para além dele.

O seu trabalho tem estado em evolução continua. Penso ser esse o segredo da sua juventude. Os elementos permanentes nesta evolução relacionaram-se com a sua abordagem humana da arquitectura, a utilização magistral da escala humana a diferentes níveis, em edifícios públicos e privados.

O Raúl não procura um estilo; o seu trabalho não é o consumo comercial de abordagens estilísticas, a repetição de certos truques, elementos como uma marca registada. Tem sido uma procura contínua do progresso na essência da arquitectura, e uma busca da autenticidade. As dife-

la oportunidad de visitar su trabajo en la ciudad y comprender mejor el contexto, en el cual fue producido.

Yo siempre pensé que las oportunidades de los arquitectos en los países periféricos de Europa eran mayores, en comparación con los países de Europa central, como Francia, Alemania, etc. En vez de dar la forma de la arquitectura, ellos hacían arquitectura. Aprendían con el trabajo de artesanos, que no había desaparecido totalmente. Por lo tanto, en comparación con los otros arquitectos de su posición, Raúl marcó la diferencia.

Su trabajo tiene muchas facetas y dimensiones: por un lado se relaciona con el Mediterráneo, latino, orígenes romanas, y las experiencias de Filadelfia dieron un paso hacia adelante en ese sentido. Además de eso, en su trabajo podemos encontrar un cierto sentido de humanismo escandinavo, en la utilización magistral de la escala humana y de la sensibilidad en relación al contexto y al paisaje, una búsqueda de libertad aparte de las convicciones de la arquitectura inspirada en nociones clásicas. Pero talvez, lo más importante, sea el pertenecer a Portugal, una gran herencia cultural de un país con influencias humanistas del sur y oriente, y las inmensas aperturas al Océano y a las culturas lontanas.

Su trabajo ha estado en evolución continua. Pienso que es ese el secreto de su juventud. Los elementos permanentes en esta evolución se relacionan con su abordaje humana de la arquitectura, la utilización magistral de la escala humana en diferentes niveles, en edificios públicos y privados.

his work in that city and better understand the context in which it has been produced.

I always though that the chances of the architects in peripheral countries of Europe were larger compared to those in the centre, like France, Germany, etc. Instead of making the mode of architecture, they made architecture. They learn with artisan work, which has not totally disappeared. Therefore compared to the other architects in his position Raúl made a difference.

His work has many facets, dimensions: on one side it is related to the Mediterranean, Latin, roman origins, and the Philadelphia experiences were one step further in that sense. Besides that, in his work one can find a certain sense of Scandinavian humanism, in the masterly use of human scale and the sensibility to the context and landscape, a search for the liberty beyond the conventions of classically inspired architecture. But maybe what is more important is that he belongs to Portugal, the great cultural heritage of the country with the humanist influences from the south and east and immense openings to the Ocean and the cultures beyond.

His work has been in continuous evolution. I think this is the secret of his youth. The permanent elements in this evolution have been related to his human approach to architecture, the masterly use of human scale at different levels from public to private buildings.

Raúl did not look for a style; his work is not the commercial consumption of the stylistic approaches, the repetition of certain gimmicks, elements as a trademark. It has been a continuous search for progress on the essence of architecture, and quest for authenticity. The differences between each of his coming work were the result of a new context, another programme and his evolution.

ISCTE' Complex 1976|2002

I had the chance to visit the ISCTE buildings a few years ago. Before that time I knew Raúl's work from publications, drawings or photographs.

By that time all the components of ISCTE complex had already been built and were in use. At the first sight I was impressed by the city-like complexity of these buildings, the continuity and the autonomy of its components. And when we visited the buildings one by one, I discovered their diversities and the subtle relationship between them.

The Complex is made of built and open air spaces, four buildings of different periods.

Their differences are spatial and structural in the sense of the distribution of their components. They are placed next to each other with subtle dialogues. They generate a central plaza for everybody. The whole complex can be identified as an urban design work. That is why one should see the buildings of ISCTE complex as a whole with their parts and their unity.

ISCTE I Terrace Pavillion 1976|87

ISCTE I, Building – Terrace pavilion, 1976-1987: It is the first building of the complex with a regular, orthogonal design with the square courtyard. The building, the simplest in the geometry of its plan, played the role of the genera-

Raúl no busca un estilo, su trabajo no resulta del consumo de abordajes estilísticas, la repetición de ciertos utensilios cuyo nombre olvidamos, elementos como una marca registrada. Ha sido una búsqueda continua del progreso en la esencia de la arquitectura, y una búsqueda de autenticidad. Las diferencias entre cada uno de sus nuevos trabajos fueron el resultado de un nuevo contexto, otro programa y su evolución.

Complejo del ISCTE 1976|2002

Tuve la oportunidad de visitar los edificios del ISCTE hace algunos años . Antes de eso, conocía el trabajo de Raúl a partir de publicaciones, diseños y fotografías.

En esa fecha, todos los componentes del complejo del ISCTE ya habían sido construidos y estaban siendo utilizados. En una primera impresión, quedé impactado con la complejidad city-like de estos edificios, con la continuidad y con la autonomía de sus componentes. Y cuando los visitamos uno por uno, descubrí sus diversidades y la sutil relación entre ellos.

El Complejo esta formado por espacios construidos y espacios al aire libre, cuatro edificios de diferentes períodos.

Sus diferencias, en lo que se refiere a la distribución de sus componentes, son espaciales y estructurales . Se localizan lado a lado, con diálogos sutiles. Forman una plaza central para toda la gente. Todo el complejo puede ser identificado como un trabajo de design urbano. Es por esta razón, que debemos ver a los edificios del complejo del ISCTE como un todo, con sus partes y su unidad.

renças entre cada um dos seus novos trabalhos foram o resultado de um novo contexto, outro programa e a sua evolução.

Complexo do ISCTE 1976 | 2002

Tive a oportunidade de visitar os edifícios do ISCTE, há alguns anos atrás. Antes disso, conhecia o trabalho do Raul a partir de publicações, desenhos ou fotografias.

Nessa altura, todos os componentes do complexo do ISCTE já tinham sido construídos e estavam a ser utilizados. À primeira vista, fiquei impressionado com a complexidade city-like destes edifícios, com a continuidade e com a autonomia dos seus componentes. E quando os visitámos um por um, descobri as suas diversidades e relação súbtil entre eles.

O Complexo é formado por espaços construídos e espaços ao ar livre, quatro edifícios de diferentes períodos.

As suas diferenças são espaciais e estruturais no sentido da distribuição dos seus componentes. Localizam-se lado a lado, com diálogos subtis. E geraram uma praça central para toda a gente. Todo o complexo pode ser identificado como um trabalho de desenho urbano. É por isso que devemos ver os edifícios do complexo do ISCTE como um todo, com as suas partes e a sua unidade.

ISCTE I Pavilhão Esplanada 1976 | 87

Edifício ISCTE I - Pavilhão Esplanada, 1976 | 1987: é o primeiro edifício do complexo com um desenho regular, ortogonal com um pátio quadrangular. O edifício, a geometria simples do seu projecto, desempenhou o papel gerador dos outros edifícios. É um edifício com uma base quadrada com quarto cantos atribuídos a usos colectivos. O pátio central é um local de encontro, uma espécie de teatro ao ar livre, à escala de todo o complexo. As diagonais do pátio são acentuadas com os acessos que tornam o espaço dinâmico. Os outros edifícios do complexo, inclusos e em volta, tornam o edifício inicial mais rico, pelas suas diversidades e geometrias fragmentadas. Neste edifício mais antigo há influências da sua formação em Filadélfia, especialmente nas articulações das suas partes e na força geométrica global. Esta autonomia expressa-se pelas suas ligações aos outros edifícios, especialmente com a Ala Autónoma, que possui outra ordem geométrica. Trata-se de uma passagem subterrânea que liga os dois edifícios, respeitando as suas diferenças. Como experiência espacial, a passagem de um para o outro é forte. A relação subtil deste edifício mais antigo com o edifício ISCTE II - ICS, os mais recentes elementos do complexo, é feita por uma ponte parecida com uma galeria, rica pelas suas qualidades da luz e das aberturas, contrastando com a outra ligação subterrânea. Recordo-me de ter ficado alegremente surpreendido por estas descobertas quando visitei o complexo.

Ala Autónoma do ISCTE 1989 | 1995

Este edifício possui uma geometria complexa, sensível às diferenças periféricas de cada lado. Basicamente, é um edifício-pátio. O que o torna muito interessante é a geometria deste espaço central multifacetado - uma espécie de jardim

ISCTE I Pabellón Terraza 1976|87

Edificio ISCTE I- Pabellón Terraza, 1976-1987: es el primer edificio del complejo con un diseño regular, ortogonal, con una patio cuadrado. El edificio, la geometría simple de su proyecto, desempeñó el papel generador de los otros edificios. Es un edificio con un plano cuadrangular con cuatro cantos destinados para usos colectivos. El patio central es un sitio de encuentro, una espécie de teatro al aire libre, a la escala de todo el complejo. Las diagonales del patio son acentuadas con los accesos, que hacen el espacio dinámico. Los otros edificios del complejo, los internos y los del alrededor, hacen al edifico inicial más rico, por sus diversidades y geometrías fragmentadas. En este edifico mas antiguo, ay influencias de su formación en Filadelfia, especialmente reflejada en las articulaciones de sus partes y en la fuerza geométrica global. Esta autonomía se expresa por sus conexiones a los otros edificios, especialmente con la Ala Autónoma, que posee otro orden geométrico. Se trata de un pasadizo subterráneo que une a los dos edificios, respetando sus diferencias. Como experiencia espacial, el pasadizo que une uno con el otro es fuerte. La relación sutil de este edificio mas antiguo con el edificio ISCTE II - ICS, los elementos más recientes del complejo, es hecha por un puente parecido a una galería, rica por sus cualidades en términos de luminosidad y aberturas, contrastando con la otra conexión subterránea. Recuerdo haber quedado alegremente sorprendido por estos descubrimientos cuando visité el complejo.

tor of the others. It is a square plan building with its four corners attributed to the collective uses. The central courtyard is a gathering place, a kind of open-air theatre, at the scale of the whole complex. The diagonals of the courtyard are accentuated with the accesses, which make that space dynamic. The other buildings of the complex, in and around, make the initial building richer by their diversities and fragmented geometries. In this early building there are the influences of his Philadelphia formation, especially in the articulations of its parts and the overall geometric force. This autonomy is expressed by its connections to the other buildings especially with the Ala Autónoma (Autonomous Wing), which has another geometrical order. It is an underground passage that connects the two buildings, respecting their differences. As a spatial experience the passage from one to the other is strong. The subtle relationship of this early building with the ISCTE II - ICS building, the latest elements of the complex, is made by a bridge like a gallery rich in his light qualities and openings, contrasted to the other underground connection, I remember being happily surprised by these discoveries when I visited the campus.

ISCTE's Autonomous Wing 1989|1995

This building has a complex geometry sensible to the peripherical differences on each side. Basically it is a courtyard building. What makes it very interesting is the geometry of this multifaced central space - a kind of light garden-derived from the triangle. The classes and other edu-

de luz – derivado do triângulo. As aulas e outras instalações educacionais, são servidas por uma galeria contínua extremamente rica nas suas sequências, vistas, geometria e qualidades de luz, em torno do espaço central. Este é o edíficio mais não-ortogonal, de todo o complexo.

Praça Central do ISCTE

É um espaço comum com uma escala pública, embora não monumental. A sua percepção é muito rica, devido à diversidade de volumes circundantes e elevações, nos quatro lados, especialmente a articulação com o volume do auditório do edifício ISCTE II . Estas pluralidades dão um carácter dinâmico, a este espaço principal ao ar livre.

INDEG/ISCTE Centro de Pós-Graduações 1991 | 1995

O INDEG/ISCTE Centro de Pós-Graduações é composto por dois blocos rectangulares-diversamente organizados nos seus planos – rodados entre si com uma parte central que serve de acesso e escada principal como um elemento de articulação. É o fragmento de uma forma cilíndrica, e sendo a única superfície curva de todo o complexo, está visualmente muito presente. As formas rectangulares caracterizam-se pelos seus tratamentos com as varandas de esquina. A sua geometria ajuda as suas articulações com os edifícios vizinhos.

As aberturas no espaço cilíndrico central são mais elaboradas, do que as outras fachadas e indicam a entrada principal criando uma tensão entre as duas alas do edifício.

Ala Autónoma del ISCTE 1989|1995

Este edifico posee una geometría compleja, sensible a las diferencias periféricas de cada lado. Básicamente, es un edificio con patio. Lo que lo vuelve muy interesante es la geometría de este espacio central multifacético-un tipo de jardín de luz – derivado del triángulo. Los salones de clase y otras instalaciones educativas, son alimentadas por una galería continua extremamente rica en sus secuencias; vistas, geometría y cualidades luminosas, rodean el espacio central. Este es el edificio menos ortogonal de todo el complejo.

Plaza Central del ISCTE

Es un espacio común con una escala pública, aunque no monumental. Su percepción es muy rica, debido a la diversidad de volúmenes circundantes y elevaciones en los cuatro lados, especialmente la articulación con el volumen del auditorio del edificio ISCTE II . Estas pluralidades le dan a este espacio principal al aire libre un aire dinámico.

INDEG|ISCTE Centro de Pos-Graduaciones 1991|1995

O INDEG/ISCTE Centro de Post-Graduaciones está compuesto por dos bloques rectangulares-diferentemente organizados en sus planos – con rotaciones entre ellos, con una parte central, que sirve como entrada y escalera principal como elemento de articulación. Es el fragmento de una forma cilíndrica, y siendo la única superficie

cational facilities, served by a continuous gallery space extremely rich in its sequences, views, geometry and light qualities, surround the central space. This is the most non-orthogonal building of the whole complex.

ISCTE's Central Square

It is a common space with a public scale though not monumental. The perception of it is very rich because of the diversity of the surrounding volumes and elevations on the four sides, especially the articulation with the volume of the auditory of the ISCTE II building. These pluralities give a dynamic character to this main open air space.

INDEG|ISCTE Post Graduation Center 1991|1995

The INDEG/ISCTE Post-Graduation Centre is made of two rectangular blocks - differently organized in their plans – rotated from each other with a central part, which serves as the access and the main staircase as an articulating element. It is the fragment of a cylindrical form, and being the only curved surface in the whole complex it is visually very present.. The rectangular forms are characterized by their treatments with the corner balconies. Their geometry helps their articulations with the neighbouring buildings.

The openings at the central cylindrical space are more elaborated than the other façades and they indicate the main entrance and create a tension between the two wings of the building.

ISCTE II|ICS 1993|2002

The programme of this building is more complex than the others, with the auditorium, the amphitheatres, the library, the classes and the laboratories, among other spaces. It is a building rich in spatial sense. It has a more linear organization compared to the other three buildings, whose forms identify themselves with their central spaces.

The auditorium and amphitheatres on one side are related with the Praça Central, the classes and the laboratories are on the other end. A central part in the middle of the building, create three sequences. These three parts have different spatial organizations, scales and program requirements. The collective scale of the auditorium and the ramps with their dynamic geometry articulate with the scale of the main plaza.

The diversity of the buildings come from their different programs, different dates of conception, construction and the evolution of the architect along the time. What unify them are the institutional character and the scale of the buildings, the unity of the materials and colours. They create a very pleasant learning and teaching environment respecting the functions as well as the quality of spaces.

Beside this unity there is a certain dynamic of the whole complex as a result of the relationships of the buildings with each other and with the surrounding urban spaces. We can call it the unity of the dynamics. I also believe that the unity is the result of the personality of the architect and his determination to avoid systematisation of architectural language.

curva de todo el complejo, está visualmente muy presente. Las formas rectangulares se caracterizan por sus tratamientos con los balcones de esquina. Su geometría ayuda a sus articulaciones con los edificios vecinos.

Las aberturas en el espacio cilíndrico central son más elaboradas que las otras fachadas y indican la entrada principal y crean una tensión entre las dos alas del edificio.

ISCTE II|ICS 1993|2002

El programa de este edificio es más complejo que el de los otros dos, con el auditorio, los anfiteatros, la biblioteca, los salones de clase y los laboratorios, entre otros espacios. Es un edificio rico en el sentido espacial. Tiene una organización más linear, cuando se compara con los otros tres edificios, cuyas formas se auto-identifican con los espacios centrales.

El auditorio y los anfiteatros de uno de los lados se relacionan con la Plaza Central, los salones y los laboratorios están en la otra extremidad. La parte central en el medio del edificio, crea tres secuencias. Estas tres partes poseen diferentes organizaciones espaciales, escalas y requisitos programáticos. La escala colectiva del auditorio y las rampas con su geometría dinámica se articula con la escala de la plaza principal.

La diversidad de los edificios proviene de sus diferentes programas, diferentes fechas de concepción, construcción y de la evolución del arquitecto a lo largo del tiempo . Lo que los unifica es el carácter institucional y la escala de los edificios, la unidad de los dos materiales y los

ISCTE II | ICS 1993 | 2002

O programa deste edifício é mais complexo do que o dos outros, com o auditório, os anfiteatros, a biblioteca, as aulas e os laboratórios, entre outros espaços. É um edifício rico no sentido espacial. Tem uma organização mais linear, quando comparado com os outros três edifícios, cujas formas se auto-identificam com os seus espaços centrais.

O auditório e os anfiteatros de um dos lados relacionam-se com a Praça Central, as aulas e os laboratórios estão na outra extremidade. A zona central a meio do edifício, cria três sequências. Estas três partes possuem diferentes organizações espaciais, escalas e requisitos programáticos. A escala colectiva do auditório e as rampas com a sua geometria dinâmica articula-se com a escala da praça principal.

A diversidade dos edifícios advém dos seus diferentes programas, diferentes datas de concepção, construção e da evolução do arquitecto ao longo do tempo. O que os unifica é o carácter institucional e a escala dos edifícios, a unidade dos materiais e as cores. Criam um ambiente de aprendizagem e de ensinamento muito agradável, respeitando as funções , bem como a qualidade dos espaços.

Além desta unidade, há uma certa dinâmica de todo o complexo, que resulta das relações inter-edifícios e com os espaços urbanos circundantes. Chamamos-lhe a unidade das dinâmicas. Também acredito que a unidade é o resultado da personalidade do arquitecto e da sua determinação em evitar a sistematização da linguagem arquitectónica.

Há algo de particular na criação pelo Raúl, de interiores com dupla escala. Uma é institucional, escala colectiva, como as rampas, os auditórios e as entradas; a outra é íntima, escala humana.

Dentro dos planos unificadores de cada edifício, ele criou os locais únicos de qualidade; pontos fortes que compõem a memória dos interiores do edifício. Estes pontos de articulação caracterizam-se por certas dinâmicas - dado pertencerem a diferentes ordens espaciais. Também se diferenciam uns dos outros, pelas suas qualidades luminosas particulares e pelas aberturas para as vistas.

Para o arquitecto o contexto não é uma abstracção. Ele está envolvido com o contexto concreto, como os espaços exteriores imediatos, elementos paisagísticos e edifícios vizinhos. Nesse sentido o contexto concreto é um elemento activo para criar articulações necessárias, ligações, continuidades ou descontinuidades.

Os seus edifícios caracterizam-se pela atenção permanente às circunstâncias dentro e fora do envelope de edifícios. Estas circunstâncias são evidentes nas variações das fachadas e nos tratamentos das esquinas, dos diferentes edifícios. Senti que há um diálogo na resolução do projecto final entre o essencial, os princípios do desenho e as circunstâncias.

colores. Crean un ambiente de aprendizaje y enseñanza muy ameno, respetando las funciones , así como la calidad de los espacios.

Aparte de esta unidad, existe una cierta dinámica de todo el complejo, que resulta de las relaciones inter-edificios y con los espacios urbanos circulantes. Le llamamos la unidad de las dinámicas. También creo que la unidad es el resultado de la personalidad del arquitecto y de su determinación en evitar la sistematización del lenguaje arquitectónico.

Hay algo de particular en la creación de interiores con doble escala, hecha por Raúl. Una es institucional, escala colectiva, como las rampas, los auditorios y las entradas; la otra es una íntima escala humana.

Dentro de los planos unificadores de cada edificio, él creo los sitios únicos de calidad; puntos fuertes que componen la memoria de los interiores del edificio. Estos puntos de articulación se caracterizan por ciertas dinámicas - debido a que pertenecen a diferentes ordenes espaciales. También se diferencian uno de los otros, por sus calidades luminosas particulares y por las aberturas para las vistas.

Para el arquitecto el contexto no es una abstracción. El esta envuelto con el contexto concreto, como los espacios exteriores inmediatos, elementos paisajísticos y edificios vecinos. En este sentido el contexto concreto es un elemento activo para crear articulaciones necesarias, conexiones, continuidades o discontinuidades .

Sus edificios se caracterizan por la atención permanente a las circunstancias dentro y fuera del sobre de edificios. Estas circunstancias son evidentes en las variaciones de las elevaciones y en los tratamientos de las esquinas, de los diferentes edificios. Sentí que hay un diálogo en la resolución del proyecto final entre lo esencial, los principios del design y las circunstancias.

There is something particular in the creation by Raúl of the interiors with a double scale. One is institutional, collective scale, like the ramps, the auditoriums and entrances; the other is intimate, human scale.

Within the unifying plans of each building he has created the unique places of quality; strong points which make the memory of the interiors of the building. These articulation points are characterized by certain dynamics - since they belong to different spatial orders. They are also differentiated one from the others by their particular light qualities and the openings to the views.

For the architect the context is not an abstraction. He is involved with the concrete context like the immediate outdoor spaces, landscape elements and neighbouring buildings. In that sense the concrete context is an active element to create necessary articulations, connections, continuities or discontinuities.

His buildings are characterized by the permanent attention to the circumstances inside and outside the envelope of the buildings. These circumstances are evident in the variations of the elevations and in the corner treatments of the different buildings. I felt that there is a dialogue at the resolution of the final project between the essentials, the principles of design and the circumstances.

Complexo do ISCTE 1976 | 2005

Complejo del ISCTE

ISCTE Complex

O Complexo do ISCTE (Instituto Superior de Ciências do Trabalho e de Empresa), desenvolveu-se depois de 25 de Abril de 1974, através da construção do edifício do ISCTE I, na área da Cidade Universitária de Lisboa, onde o regime da ditadura, após as "crises académicas" dos anos de 60, não autorizara qualquer nova edificação.

Ao interpretar o reduzido programa de espaços definido para iniciar a construção do ISCTE, como projectistas cientes das carências que poderiam ocorrer com a futura expansão da instituição, propusemos que o edifício se pudesse posteriormente expandir, através dum volume quadrangular de concepção clássica, em torno de um pátio central, em que a primeira Ala, a poente, corresponderia ao programa inicial e as restantes, em planta livre, às futuras áreas de expansão.

Dado que o crescimento da instituição, pelo seu dinamismo, decorreu a um ritmo difícil de antecipar, em alguns anos o volume inicialmente programado, estava concluído e ocupado. As exigência motivadas pelo crescimento do ISCTE, pela abertura de novos cursos, que lhe conferiram a polivalência de uma Universidade, e pelo desdobramento em, ou a agregação de, instituições autónomas tendo por finalidade a investigação e a formação de pós-graduação, conduziram à posterior construção de três novos edifícios, de acordo com exigências e programas definidos ao longo do tempo.

No entanto, enquanto não foi possível programar a edificação dos novos corpos que permitissem suprir às necessidades continuamente detectadas, procedeu-se à construção, no perímetro do ISCTE I, de novas áreas para atenuar as dificuldades de espaço sentidas.

El complejo del ISCTE (Instituto Superior de las Ciencias del Trabajo y de la Empresa), se desarrolló después del 25 de Abril de 1974, a través de la construcción del edificio del ISCTE I, en el área de la Ciudad Universitaria de Lisboa, donde el régimen de la dictadura, posterior a las "crisis académicas" de los años 60, no autorizaba cualquier edificación nueva.

Al interpretar el programa reducido de espacios definidos para iniciar la construcción del ISCTE, como proyectistas concientes de las carencias que podrían ocurrir con una futura expansión de la institución, propusieron que el edificio se pudiera expandir posteriormente, a través de un volumen cuadrangular de concepción clásica, alrededor de un patio central, en el que la primera Ala, la ponente, correspondiera al programa inicial y las restantes, en la planta libre, a las futuras áreas de expansión.

Dado que el crecimiento de la institución, por su dinamismo, ocurrió a un ritmo difícil de anticipar en algunos años, el volumen inicialmente programado, estaba terminado y ocupado. Las exigencias originadas por el crecimiento del ISCTE, por la apertura de nuevos cursos, que le conferían la polivalencia de una Universidad, y por el desdoblamiento en, o la agregación de instituciones autónomas destinadas a la investigación y a la formación en post-graduación, condujeron a la construcción posterior de tres edificios nuevos, de acuerdo con las exigencias y programas definidos a lo largo del tiempo.

Sin embargo, mientras no fue posible programar la edificación de nuevos cuerpos que permi-

ISCTE Complex (*Instituto Superior de Ciências do Trabalho e de Empresa*), developed after the 25th of April 1974, with the construction of the ISCTE I Building, on the area of Lisbon University City, where the dictatorship regime, after the "academic crises" of the sixties, would not authorize any new building.

When we interpreted the reduced spaces program defined to initiate ISCTE construction, as designers aware of the problems that could occur with the institution's future expansion, we proposed that the building could be later on expanded, through a quadrangular volume of classic conception, around a central courtyard, where the first Wing, to the west, would correspond to the initial program and the remainder, on free planning, to future expansion areas.

Given that the institution's growth, due to its dynamism, occurred at a rhythm difficult to anticipate, in some years the volume initially programmed, was concluded and occupied. The demands motivated by ISCTE growth, by the creation of new degrees, conferring it the polyvalence of an university, and by the unfolding in, or the aggregation of, autonomous institutions with the objective of investigation and post-graduation training, led next to the construction of three new buildings, according to the demands and programs defined along the time.

However, meanwhile it was not possible to program the new bodies whose construction would allow to fulfil the needs constantly detected, on ISCTE perimeter, new areas were built to attenuate the experienced space difficulties.

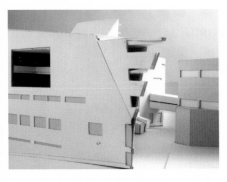 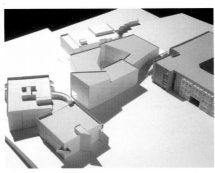

Due to the limitation of spaces attributed to students, the Terrace Pavillion was conceived, to be integrated on the central courtyard, as a working and leisure area. It was also possible to take advantage of a buried basement to install new large areas, with sunlight, destined to informatics classes.

Therefore, a not very usual situation could be confirmed, that of an university complex conceived under the responsibility of the same architect throughout around 30 years, accompanying an institution growth without a masterplan, given that the availability of the surrounding land was conditioned by other entities.

ISCTE I, as the founding project of the Complex, is still its main reference, from which all the others implanted, forming a nucleus whose stability and compositive neutrality come from the ability to integrate varied occupation types, while the latter buildings, more expressive and with a greater formal clearness, took inspiration from a more strict program definition.

And the concept that initially presided to the classical conception of a building centered on a free space, which is the central pole of ISCTE I Building, finally was transported on a subjective mode, stone by stone during the complex enlargement, to ISCTE's central square, a public space working as a focus for the other buildings later constructed.

tieran responder a las necesidades detectadas continuamente, se procedió a la construcción de nuevas áreas en el perímetro del ISCTE I para atenuar las dificultades de espacio surgidas.

Dadas las limitaciones de los espacios otorgados a los estudiantes, se concibió, integrado al patio central, el Pabellón Terraza como área de trabajo y convivencia estudiantil. También fue posible aprovechar un sótano enterrado para la instalación de nuevas áreas amplias, con luz natural, destinadas para la computación.

De esta forma se constató la situación, no muy corriente, de un complejo de edificaciones de educación superior concebidas bajo la responsabilidad de un mismo arquitecto a lo largo de aproximadamente 30 años, acompañando el crecimiento de una institución sin un Plano Ordenador, dado que la propia disponibilidad de los terrenos involucrados estaba condicionada por otras entidades.

El ISCTE I, como proyecto fundador del Complejo, es todavía su principal referencia, a partir del cual todos los otros se implantaron, constituyendo un núcleo cuya estabilidad y neutralidad compositiva pasó de la aptitud para integrar diferentes tipos de ocupación, mientras que los edificios posteriores, más expresivos y de mayor claridad formal, se inspiraron en una definición programática más estricta.

El concepto que inicialmente presidió la concepción clásica de un edificio centrado en un espacio libre, el polo central del edificio del ISCTE I, terminó por ser transpuesto de una forma subjetiva, piedra a piedra en el precursor de la ampliación del complejo, para la concepción de la Plaza Central del ISCTE, un espacio público que focaliza a los diferentes edificios construidos mientras tanto.

Dadas as limitações dos espaços atribuídos aos estudantes, concebeu-se, integrado no pátio central, o Pavilhão Esplanada como área de trabalho e convívio estudantil. Foi também possível aproveitar uma cave soterrada para a instalação de novas áreas desafogadas, com luz natural, destinadas a zonas de informática.

Constatou-se assim a situação, não muito corrente, dum complexo de edificações do ensino superior concebidas sob a responsabilidade dum mesmo arquitecto ao longo de cerca de 30 anos, acompanhando o crescimento duma instituição sem um Plano ordenador, dado que a própria disponibilidade dos terrenos envolventes estava condicionada por outras entidades.

O ISCTE I, como projecto fundador do Complexo, é ainda a sua principal referência, a partir do qual todos os outros se implantaram, constituindo um núcleo cuja estabilidade e neutralidade compositiva decorreu da aptidão para integrar tipos de ocupação variados, enquanto os edifícios posteriores, mais expressivos e de maior clareza formal, se inspiraram numa definição programática mais rigorosa.

E o conceito que inicialmente presidiu à concepção clássica de um edifício centrado num espaço livre, que é o polo central do edifício do ISCTE I, acabou por ser transposto de um modo subjectivo, pedra a pedra no decurso da ampliação do complexo, para a concepção da Praça Central do ISCTE, um espaço público que focaliza os vários edifícios entretanto construídos.

ISCTE I 1976 | 78

Pavilhão Esplanada 1987|94
Cave da Ala Sul 1992|94

ISCTE I

Pabellón Terraza 1987|94
Sótano del Cuerpo Sur 1992|94

ISCTE I

Terrace Pavillion 1987|94
South Body Basement 1992|94

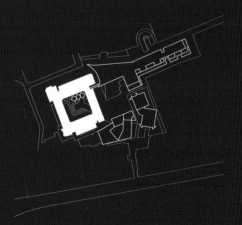

ISCTE I 1976|78

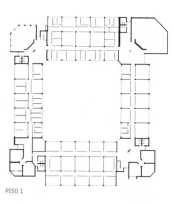

PISO 1

O edifício do ISCTE I foi concebido para a área da Cidade Universitária de Lisboa, para funcionamento dos Cursos de Gestão de Empresas e Sociologia do Trabalho, que polarizaram o desenvolvimento inicial da instituição recém constituída, e de outros posteriormente criados.

O carácter embrionário da instituição e a necessidade de executar projectos e obras num curto prazo, para permitir um funcionamento imediato, sugeriram uma edificação modular, "aberta", adaptável a uma futura evolução.

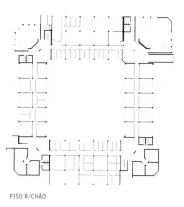

PISO R/CHÃO

PISO CAVE

El edifico del ISCTE I fue concebido en
la área de la Ciudad Universitaria de
Lisboa, para el funcionamiento de los
Cursos de Gestión de Empresas y Sociología del Trabajo, que polarizaron el
desarrollo inicial de la institución recién
construida, y de otros posteriormente
creados.
El carácter embrionario de la institución
y la necesidad de ejecutar proyectos y
obras en un corto plazo, para permitir
un funcionamiento inmediato, sugirieron una edificación modular, "abierta",
adaptable a una evolución futura.

ISCTE I building was conceived for the
area of Lisbon University City, to receive
the Management and Work Sociology
degrees, which polarized the recently
constituted institution's initial development, and the others created later.

The embryonic character of the institution and the need to execute projects
and works on a tight schedule, to allow
an immediate use, suggested a modular
construction, "open", adaptable to a future evolution.

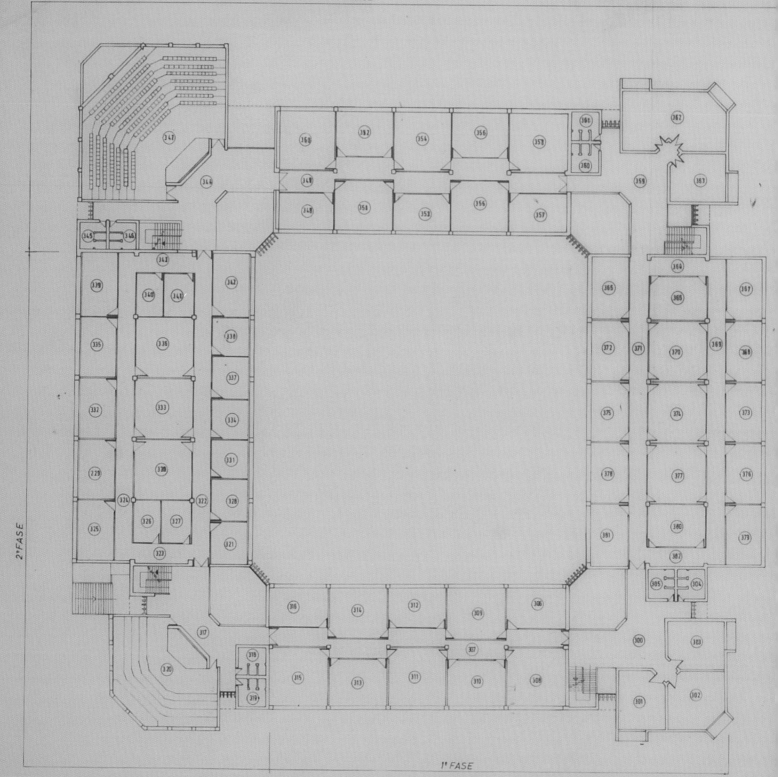

3ª FASE

1ª FASE

2ª FASE

Apenas justificándose inicialmente la construcción de un cuerpo rectangular con salones de clase, pequeños anfiteatros y oficinas, propusimos cuadruplicar el área prevista para ocupación, creando un espacio reservado para futuras expansiones y definiendo, según una matriz clásica, un complejo de planta cuadrangular con un espacio central descubierto.

Although, initially it was only justifiable the construction of a rectangular body with classrooms, small amphitheatres and offices, we proposed to quadruplicate the predicted occupation area, creating a reserve to future expansions and defining, according to a classic matrix, a complex with a quadrangular plant and an uncovered central space.

Apenas se justificando inicialmente a construção dum corpo rectangular com aulas, pequenos anfiteatros e gabinetes, propusemos quadruplicar a área prevista para ocupação, criando uma reserva para futuras expansões e definindo, segundo uma matriz clássica, um complexo de planta quadrangular com um espaço central descoberto.

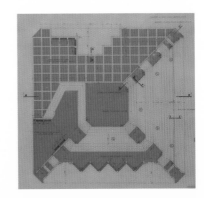

Las alas del edificio, en planta libre, que permiten la adaptación de espacios que serian definidos posteriormente, se apoyan en una estructura puntual de concreto, revestidas con tableros exteriores del mismo material (especialmente diseñados por nosotros, en una primera concepción de tableros para ejecución en el astillero de la obra). Los cuerpos de esquina, más rígidos y cerrados, con funciones y espacios predefinidos, tienen como base paredes de concreto armado moldeadas "in situ".

The building's wings, on free plant, allowing the adaptation of spaces to be defined later, they are supported on a concrete pontual structure, covered with exterior panels of the same material (especially conceived by us, during a first conception of panels execution at the construction site). The corner bodies, more rigid and closed, with functions and pre-defined spaces, are based on reinforced concrete walls modelled "in situ".

As alas do edifício, em planta livre, permitindo a adaptação de espaços a definir posteriormente, apoiam-se numa estrutura pontual de betão, revestidos com painéis exteriores do mesmo material (especialmente desenhados por nós, numa primeira concepção de painéis para execução no estaleiro da obra). Os corpos de canto, mais rígidos e fechados, com funções e espaços pré-definidos, têm por base paredes de betão armado moldadas "*in situ*".

Em breve, a expansão em paralelo da instituição e da edificação, conduziu ao preenchimento do volume inicialmente previsto, exigindo a construção de novos núcleos para satisfazer as necessidades pedagógicas e de funcionamento do ISCTE.

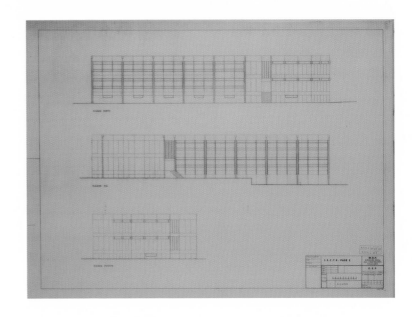

Rápidamente, la expansión de la institución en paralelo con la edificación, condujo a rellenar el volumen inicialmente previsto, exigiendo la construcción de nuevos núcleos para satisfacer las necesidades pedagógicas y de funcionamiento del ISCTE.

Soon, the parallel expansion of the institution and buildings, led to the filling of the initially predicted volume, requiring the construction of new nucleus to satisfy ISCTE's learning and operational needs.

Pavilhão Esplanada 1987 | 94

Pabellón Terraza

Terrace Pavillion

De acordo com as necessidades de expansão do ISCTE, e da Associação dos Estudantes, foi considerada a ocupação do Pátio do ISCTE, sem prejuízo das funções que aí ocorrem, de contemplação, estudo, namoro e ainda de espectáculos, representações e festas de fim-de-semana.

De acuerdo con las necesidades de expansión del ISCTE, y de la asociación de estudiantes, fue considerada la ocupación del Patio del ISCTE, sin prejuicio de las funciones que ahí transcurren, de contemplación, estudio, enamoramiento y hasta de espectáculos, representaciones y fiestas de fin de semana.

In accordance to ISCTE and the Students Association needs for expansion, was considered the occupation of ISCTE's courtyard without jeopardizing the activities held there like contemplation, studying, flirting, and also shows, representations and weekend parties.

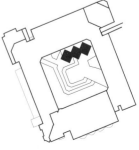

Pensou-se que a solução mais aceitável para expandir a sala interior de refeições e convívio dos estudantes para o Pátio, seria uma estrutura de aço e vidro, em que a cobertura sólida seria uma área alternativa, de esplanada e, eventualmente, de palco.

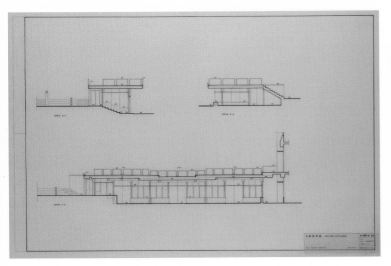

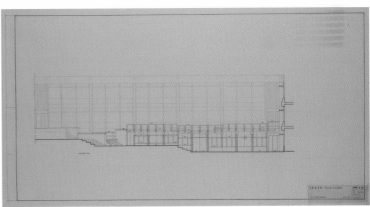

Se pensó que la solución más aceptable para expandir la sala interior de comidas y convivencia de los estudiantes para el Patio, seria una estructura de hierro y vidrio, en la que la cobertura sólida seria una área alternativa, de terraza y eventualmente de platea.

It was thought that the most acceptable solution to expand the meals and socialization inner room, would be a structure made of steel and glass, where the solid cover would be an alternative area, of terrace, and eventually, a stage.

A configuração geométrica ortogonal, dominante do ISCTE I, seria mantida numa sucessão de três quadrados, ligeiramente desnivelados em altura e colocados em diagonal, de modo a harmonizar-se com os desníveis do anfiteatro ao ar livre.

La configuración geométrica ortogonal dominante del ISCTE I, sería mantenida a través de una sucesión de tres cuadrados, ligeramente desnivelados en altura y colocados en diagonal, de forma a que fueran armónicos con los desniveles del anfiteatro al aire libre.

The orthogonal geometrical configuration, dominating ISCTE I, would be maintained in a succession of three squares, slightly unlevelled in terms of height and placed in diagonal, to harmonize with the unlevellenesses of the open air amphitheatre.

A forma construtiva adoptada, com perfis de aço suportando lajes pré-fabricadas tipo Patial com pranchas em tijolo, inferiormente à vista mas revestidas superiormente com pedra, permitiu acentuar o contraste entre a estrutura leve, de aço, e a "espessura" das coberturas, como que sugerindo "superfícies levitadas", sem tocar o solo do pátio.

A "leveza" da estrutura, enquadrada por superfícies envidraçadas, é reforçada pelo desenho dos pormenores que acentua o carácter dos materiais utilizados.

El estilo de construcción adoptado, con perfiles de hierro soportando lajas pre-fabricadas tipo Patial, con planchas en ladrillo en la parte inferior visible, pero revestidas superiormente con piedra, permitió acentuar el contraste entre la estructura liviana de hierro y la "espesura" de las coberturas, como sugiriendo "superficies levitadas", sin tocar el suelo del patio.

La "levedad" de la estructura, encuadrada por superficies con vidrio y reforzada por el diseño de los pormenores acentúa el carácter de los materiales utilizados.

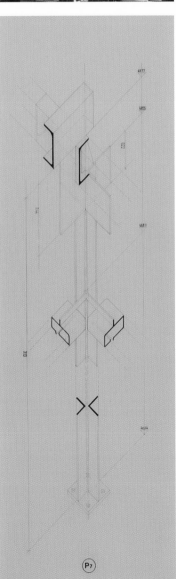

The adopted constructive shape, with steel profiles supporting pre-manufactured Patial type slabs with brick lanes, seen underneath but with a stone upper cover, with the purpose of stressing the contrast between the light structure, made of steel, and the "thickness" of the slabs, suggesting "levitating surfaces", without touching the yard soil.

The structure "lightness", stressed by the glass surfaces, is reinforced by details design emphasising "the character of the materials used.

Cave da Ala Sul 1992 | 94

Sótano del cuerpo sur
South Body Basement

Tentando obter uma área adicional para o departamento de informática, procedemos à verificação do espaço existente sob o pavimento do piso térreo da Ala sul do ISCTE I, deparando-nos com uma zona escavada no terreno, com enormes sapatas dos pilares no interior, cuja elevação não permitia a criação duma área com um pé direito minimamente aceitável.

Intentando obtener un área adicional para el departamento de computación, procedimos a la verificación del espacio existente bajo el pavimento del piso térreo de la Ala sur del ISCTE I, encontrándonos con una zona excavada en el terreno, con enormes zapatas de los pilares del interior, cuya elevación no permitía la creación de un área con una altura minimamente aceptable.

Trying to obtain an additional area to the Informatics Department, we checked the existing space under the ISCTE I south wing ground floor pavement, facing ourselves with an excavated area, with huge pillars foundations inside, whose elevation did not allow the creation of an area with a minimally acceptable ceiling.

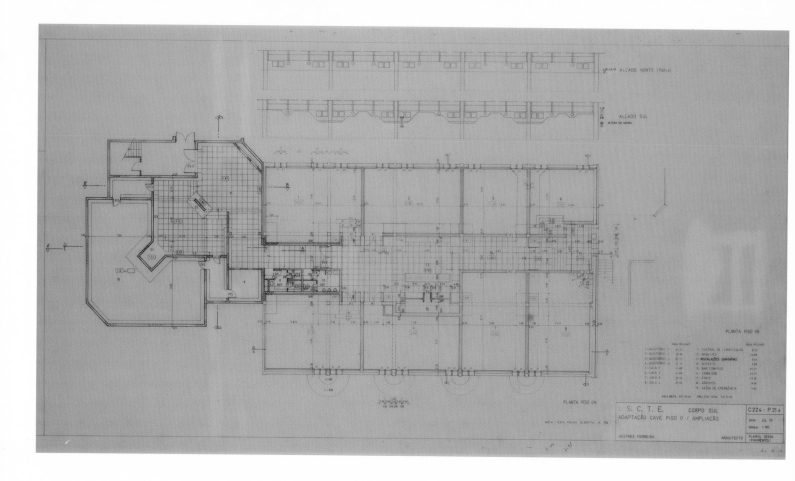

A solução adoptada para obter uma zona adicional no edifício nasceu dessa impossibilidade, propondo-se que o pavimento desta nova área alinhasse com o nível inferior das sapatas, integrando-as no interior como elementos configuradores do espaço. Esta solução, que permitiu um significativo acréscimo da área útil do ISCTE I, exigiu um rigoroso estudo técnico de ordem estrutural, para reforçar a sua solidez, tanto mais que se verificou que as sapatas não continham armaduras de ferro...

La solución adoptada para obtener una zona adicional en el edificio nació de esa imposibilidad, proponiéndose que el pavimento de esta nueva área se alineara con el nivel inferior de las zapatas, integrándolas en el interior como elementos configuradores del espacio. Esta solución, que permitió una significativa ampliación del área útil del ISCTE I, exigió un exhaustivo estudio técnico de tipo estructural, para reforzar su solidez, además que se comprobó que las zapatas no contenían armaduras de hierro...

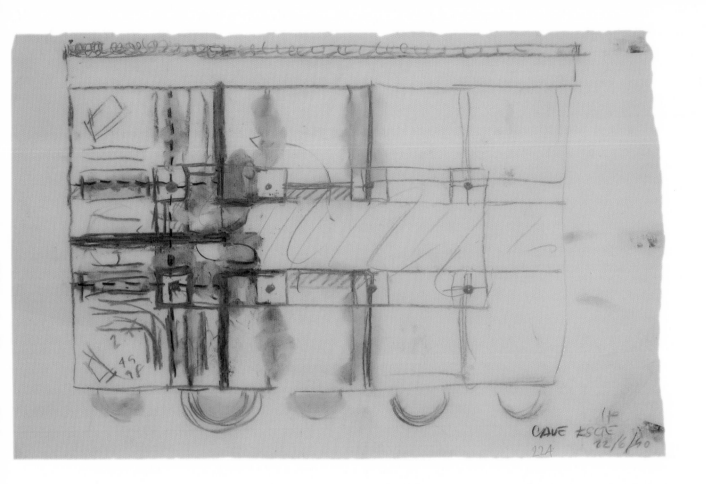

The solution adopted to obtain an additional area to the building was born from that impossibility. It was proposed that the new area's pavement would align the foundations lower level, integrating them inside as space modelling elements. This solution, allowed a significant increase on ISCTE I functional area, and required a strict structural study, to reinforce its strength, furthermore because it was verified that the foundations did not had iron frames...

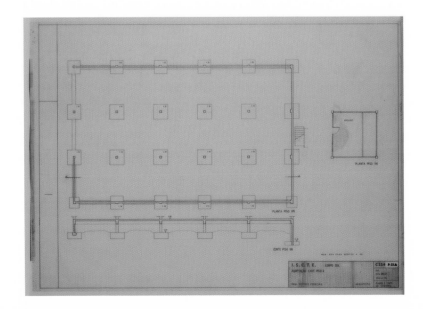

A concepção desta zona, para além da integração dos volumes das sapatas, permitiu resolver os desníveis existentes no piso inferior do edifício e assegurar a continuidade dos percursos horizontais e verticais ligando, através dum eixo central, os cantos sudoeste (espaço assinalado por um pilar e sapata pintados de vermelho), sob a entrada principal do edifício, e sudeste, a partir do qual se efectivou o posterior acesso à Ala Autónoma.

Para assegurar a iluminação natural das novas aulas definiram-se aberturas nos muros exteriores, completadas com o arranjo dos espaços exteriores anexos, quer do lado do pátio, a norte, rebaixando o nível superior do anfiteatro ao ar livre, quer do lado sul, no exterior do edifício, escavando o solo e definindo superfícies cónicas plantadas para protecção das aberturas.

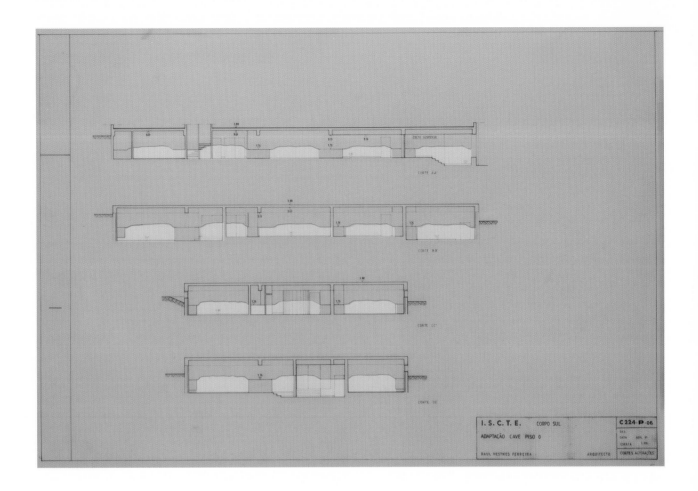

La concepción de esta zona, además de la integración de los volúmenes de las zapatas, permitió resolver los desniveles existentes en el piso inferior del edificio y asegurar la continuidad de los recorridos horizontales y verticales ligando, a través de un eje central, las esquinas suroeste (espacio señalado por un pilar y una zapata pintados de rojo), bajo la entrada principal del edificio, y sureste a partir del cual se realizó el acceso posterior a la Ala Autónoma.

Para asegurar la iluminación natural de los nuevos salones de clase se definieron aberturas en los muros exteriores, complementadas con el arreglo de los espacios exteriores anexos, tanto en el lado del patio, en el norte, rebajando el nivel superior del anfiteatro al aire libre, como en el lado sur, en el exterior del edificio, excavando el suelo y definiendo superficies cónicas plantadas para protección de las aberturas.

This area's conception, more than the foundation volumes integration, allowed to solve the unlevelnesses of the building's lower levels and to ensure the horizontal and vertical paths continuity connecting, through a central axis, the southeast corner (space signalled by a pilar and foundation painted in red), under the building's main entrance, and southwest, from where, latter, was created the Autonomous Wing Access.

To ensure natural light to the new classrooms apertures on the exterior walls were created, completed with the work on the annex spaces outside, whether from the courtyard side, to the north, lowering the open air amphitheatre upper level, whether from the south side, outside the building, excavating the soil and defining recessed conical surfaces to protect the apertures.

Os três lados do Pentágono

Los tres lados del Pentágono

The three sides of the Pentagon

Pedro Viana Botelho
Lisboa, Fevereiro 2006

Ten years ago, when I was developing a project using white concrete, that ended up inside a drawer, I saw the recently built ISCTE's Autonomous Wing building.

It was Sunday, I arrived at the north side and stopped to observe the great wall with its enormous spans behind which, crossed ramps. To the right, the Building lost height and came closer in a tense relation with the "old" ISCTE. I came around by the left side, the side of the highest corner, and understood that, the entrance was facing the Avenida das Forças Armadas. The sun was strong from east and on the white concrete a long group of windows was carved and paired, in horizontal rows. I looked for shelter under the covered recess, and through the glass window I saw the entrance desk, stuck between a corridor with a low ceiling and a ramp through where light descended. To the south, a great wall almost dead, with a curious set of spans in the central area, and through one of the apertures at the eye-level a piece of wet lawn could be noticed, beyond a narrow corridor. From the west side, the Building was slightly buried, the spans were higher, and coming down the north stairs we were back to the initial shadowy space.

Hace diez años, cuando desarrollaba un proyecto que pretendía en concreto blanco, el cual terminó en la gaveta, vine a ver el recién construido Edificio de la Ala Autónoma del ISCTE
Era domingo, llegue por el lado norte y paré para observar la gran pared con sus enormes huecos por detrás de las cuales pasaban rampas. EL Edifico perdía altura hacia el lado derecho y se acercaba en una relación tensa al "viejo" ISCTE. Doblé por la izquierda, por el lado de la esquina más alta, y me di cuenta que la entrada miraba para la Avenida de las Fuerzas Armadas. El sol pegaba fuerte de naciente y en el blanco del concreto se recortaban un largo conjunto de ventanas, en pares, en líneas horizontales. Me abrigué en el rincón cubierto, y por la puerta de vidrio vislumbré el balcón de la portería, metido entre un pasillo de altura baja y una rampa por donde descendía la luz. Al sur, una gran pared casi ciega, con un curioso conjunto de huecos en la zona central, y por una de las rendijas a la altura de los ojos veía un pedazo de grama mojada, un poco más allá de un pasillo estrecho. Del lado ponente, el edifico quedaba ligeramente enterrado, los huecos eran mayores, y bajando las escaleras por el norte se volteaba al espacio sombreado inicial.

Há dez anos, quando desenvolvia um projecto que pretendia em betão branco, e acabou na gaveta, vim ver o recém construído Edifício da Ala Autónoma do ISCTE.

Era domingo, cheguei pelo lado norte e parei para observar a grande parede com os seus enormes vãos por trás dos quais passavam rampas. Para a direita o Edifício perdia altura e aproximava-se numa relação tensa do "velho" ISCTE. Contornei pela esquerda, pelo lado do cunhal mais alto, e percebi que a entrada estava voltada para a Avenida das Forças Armadas. O sol batia forte de nascente e no branco do betão recortava-se um longo conjunto de janelas, aos pares, em renques horizontais. Abriguei-me no recesso coberto, e pela porta de vidro vi o balcão da portaria, entalado entre um corredor de pé direito baixo e uma rampa por onde descia luz. A sul, uma grande parede quase cega, com um curioso conjunto de vãos na zona central, e por uma das frestas à altura dos olhos percebia-se um pedaço de relva molhada, para lá de um estreito corredor. Do lado poente, o Edifício ficava ligeiramente enterrado, os vãos eram maiores, e descendo as escadas a norte voltava-se ao espaço sombreado inicial.

Era possível construir em betão branco, com qualidade, em Lisboa. Era emocionante aquele Edifício de geometria limpa, forte e complexa, como uma enorme cunha encalhada no terreno.

Foi com alegria que nos últimos três anos passei de visitante a habitante da Ala Autónoma.

No interior do Edifício abre-se um espaço pentagonal irregular, cujo vértice sul é aberto e interceptado pelo corredor que liga os espaços dos alunos e dos docentes. Nas paredes deste espaço os vãos também variam, ao encontro da escala dos compartimentos a que pertencem.

Entre o complexo polígono formado pelas paredes periféricas do Edifício e as do pentágono irregular do espaço interior, definem-se três corpos estruturais com diferentes cérceas. A norte desenvolve-se o corpo de maior altura, com a entrada, a portaria, os acessos verticais, a cafetaria que dá acesso ao terraço, o centro de documentação que o encabeça e remata. A nascente, organiza-se o corpo de gabinetes dos professores, e a poente o corpo das aulas.

À grande escala do espaço das rampas de acesso, contrapõe-se o pequeno pé direito das galerias de distribuição horizontal que as acompanham.

A expressão de muitos dos espaços é fortemente acentuada pelas constantes variações de dimensão em largura e altura.

O corredor da sala 328 alarga, quando dobra para sul, para depois afunilar até à janela/fresta que se abre no topo. A forma e a cor do linóleo e a sanca de luz que bordeja o tecto de gesso, do lado oposto à grande parede de betão, apon-

Era posible construir en concreto blanco con calidad en Lisboa. Era emocionante aquel edificio de geometría limpia, fuerte y compleja, como una enorme cuña encajada en el terreno.

Fue con mucha alegría que en los últimos tres años pasé de visitante a habitante de la Ala Autónoma.

En el interior del Edificio se abre un espacio pentagonal irregular, cuyo vértice sur es abierto e interceptado por el pasillo que une los espacios de los alumnos y de los docentes. En las paredes de este espacio los huecos también varían en proporción con la escala de las divisiones de las que forman parte.

Entre el Complejo polígono formado por las paredes periféricas del Edificio y las del pentágono irregular del espacio interior, se definen tres cuerpos estructurales con diferentes alturas. En el norte se forma el cuerpo de mayor altura, con la entrada, con la portería, los accesos verticales, la cafetería que accede a la terraza o al centro de documentación, que lo encabeza y lo remata. En la naciente, se organiza el cuerpo de oficinas de profesores, y en la ponente el cuerpo de los salones de clase.

A la gran escala del espacio de las rampas de acceso, se contrapone el pequeño pie derecho de las galerías de distribución horizontal que las acompañan.

La expresión de muchos de los espacios es fuertemente acentuada por las constantes variaciones de dimensión en ancho y alto.

El pasillo de la sala 328 se ensancha, al doblar hacia el sur, estrechándose después hasta la ven-

It was possible to build with white concrete, with quality, in Lisbon. That building with a clean geometry, strong and complex, as an enormous wedge stuck on the ground, was thrilling.

It was with joy that in the last three years I changed from visitor to Autonomous Wing inhabitant.

Inside the building opens an irregular pentagonal space, with an open south apex intercepted by the corridor connecting the students and teachers spaces. On these spaces' walls the spans also vary, to meet the compartments scales where they belong.

Between the complex polygon formed by the peripheral walls of the Building and those from the inner space irregular pentagon, three different structural bodies are defined with different heights. To the north the highest body develops, with the entrance, an entrance desk, the vertical accesses, the coffee room accessing the terrace on the roof, the documentation centre located in front of it and finishing the complex. To the east, is the teachers offices body, and to the west the classrooms body.

The access ramps large space scale, opposes the small ceiling of the accompanying horizontal distribution galleries.

The expression of many of the spaces is strongly stressed by constant variations of dimension in terms of width and height.

Room 328 corridor widens, when it turns south, and afterwards it narrows up to the window/aperture that opens on top. The shape and linoleum colour and the light ogee bordering the gypsum ceiling, on the opposite side of the great concrete wall, point towards the opening on the south top, the direction of the sun stripe that crosses it, marks the hour of the day, enlarged during Winter and shorter during the warm season.

During class intervals, on the wide area of this corridor, groups are joined in animated conversation and after, when the width decreases, we lean against the walls, standing up and sometimes seating on a face-to-face of variable intimacy, up to the light aperture. When all have entered the classrooms, as the corridor is emptying, frequently there is someone, at the end, who takes advantage from the silence, from the alley intimacy and the light spot, to make a telephone call.

In the morning, walking towards the Project class on room 326, you can cross the old building, go through the tunnel connecting it to the Autonomous Wing and go up to the third floor using the trapeze shaped stairs, or as an alternative, enter through the main entrance, salute the security officer, reach the next floor using the ramp and climb to the third floor using the same stairs. On the second floor, by the stairs, on the small open room with a peak shape, there is a wood bench, a place of happy people.

The architects are the first inhabitants of the buildings they draw, in this case, I presume, as happy then, as we are now.

tana/rendija que se abre en el tope. La forma y el color del lienzo y la ráfaga de luz que bordean el techo de yeso, del lado opuesto a la gran pared de concreto, apuntan hacia la rendija en el tope sur, la dirección de la faja de sol que la atraviesa marca la hora del día más larga del invierno y más corta en el tiempo de calor.

En los intervalos de las clases, en la zona ancha de este pasillo, se forman grupos de conversación animada, después a medida que la anchura disminuye, nos vamos arrimando a las paredes, de pié y algunas veces sentados, en un frente a frente de intimidad variable, hasta la rendija de luz. Cuando todos entran en los salones y el pasillo se vacía, es frecuente que haya alguien, al fondo, que aprovecha el silencio y la intimidad del rincón y el sitio de la luz, para llamar por teléfono.

Por la mañana, caminando en dirección hacia la clase del proyecto en la sala 326, se puede cruzar el edificio antiguo, pasar por el túnel que lo une a la Ala Autónoma y subir al piso 3 por la escalera de planta en forma de trapecio, o alternativamente, acceder por la entrada principal, saludar al vigilante, llegar al piso siguiente por la rampa y subir al piso 3 por la misma escalera. En el piso dos, junto a la escalera, en la pequeña habitación abierta y en pico, queda un banco de madera, lugar de gente feliz.

Los arquitectos son los primeros habitantes de los edificios que se mostraban, en este caso, según presumo, tan felices entonces como ahora nosotros.

tam para a fresta no topo sul, a direcção da faixa de sol que a atravessa marca a hora do dia, mais alongada de Inverno e curta no tempo quente.

No intervalo das aulas, na zona larga deste corredor, formam-se grupos de animada conversa depois, à medida que a largura diminui, vamo-nos encostando às paredes, de pé e por vezes sentados num frente a frente de intimidade variável, até à fresta de luz. Quando todos entram nas salas e o corredor se esvazia, é frequente haver alguém que, ao fundo, aproveita o silêncio, a intimidade do beco e o lugar da luz, para telefonar.

De manhã, caminhando em direcção à aula de projecto na sala 326, pode atravessar-se o edifício antigo, passar pelo túnel que o liga à Ala Autónoma e subir ao piso três pela escada de planta em trapézio, ou em alternativa, aceder pela entrada principal, cumprimentar o segurança, alcançar o piso seguinte pela rampa e subir ao piso três pela mesma escada. No piso dois, junto à escada, na pequena assoalhada aberta e em bico, fica um banco de madeira, lugar de gente feliz.

Os arquitectos são os primeiros habitantes dos edifícios que projectam, neste caso, presumo, tão felizes então como agora nós.

Ala Autónoma 1989 | 95

Ala Autónoma
Autonomous Wing

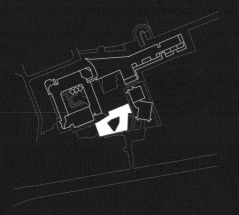

Edificada cerca de 15 anos após o ISCTE I, a Ala Autonóma, embora ligada ao edifício inicial por um túnel, possui a sua própria identidade formal, reflectindo o carácter da instituição tal como se foi definindo ao longo dos anos.

Para além do acréscimo em Salas de aula e Gabinetes para os docentes, esta nova Ala dispõem também de dois Auditórios, um Centro de Documentação e apoios de Bar.

A forma construtiva evoluiu para o uso integral de paredes em betão branco, que melhor se harmonizavam com as aberturas do edifício, segundo as exigências dos espaços interiores.

PISO 4

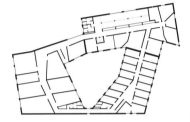

PISO 3

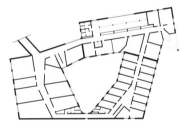

PISO 2

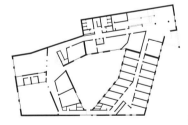

PISO 1

PISO 0

Edificada alrededor de 15 años después al ISCTE I, la Ala Autonóma, aunque conectada con el edificio inicial por un túnel, posee su propia identidad formal, reflejando el carácter de la institución tal como se iba definiendo a lo largo de los años.

Además de incorporar los salones de clase y oficinas para los docentes, esta nueva Ala dispone también de dos Auditorios, un Centro de Documentación y apoyos para el Bar.

El estilo de construcción evolucionó hacia el uso integral de paredes en concreto blanco, que guardaban mayor armonía con las aberturas del edificio, en función a las exigencias de los espacios interiores.

Built around 15 years later than ISCTE I, the Autonomous Wing, though connected to the initial building by a tunnel, has a formal identity of its own, reflecting the institution character defined along the years.

Besides the increase in Classrooms and Professors' offices, this new Wing has also two Auditoriums, a Documentation Centre and Snack-bars.

The constructive form evolved to integral use of white concrete walls, harmonizing better with the building's openings, according to inner spaces demands.

À regularidade do edifício inicial, corresponde a Ala Autónoma com uma geometria mais complexa, em grande parte como resposta à envolvente. Ao pátio quadrado do ISCTE I, opõe-se um espaço livre de base triangular que articula a disposição dos núcleos do edifício entre si.

O edifício como que "emerge" do solo, graduando as cérceas com a envolvente. A sul, o muro fechado é rasgado pela abertura dita "cabeça de vaca", no ponto onde os espaços das aulas e dos docentes se interligam num corredor a que foi atribuído grande significado e donde também se visualiza o pátio triangular. A poente tem uma presença ténue para o prado com árvores, que se manteve, e onde se implantou um volume circular para preservar um antigo pinheiro manso (que entretanto morreu...).

A la regularidad del edificio inicial, corresponde la Ala Autónoma con una geometría más compleja, en gran parte como respuesta al entorno. Al patio cuadrado del ISCTE I, se opone un espacio libre, de base triangular, que articula la disposición de los núcleos del edificio entre si.

To the regularity of the initial building, the Autonomous Wing corresponds with a more complex geometry, mainly as a answer to the surroundings. To ISCTE I's squared terrace is opposed a free space, with a triangle base articulating the building's nuclei disposition between themselves.

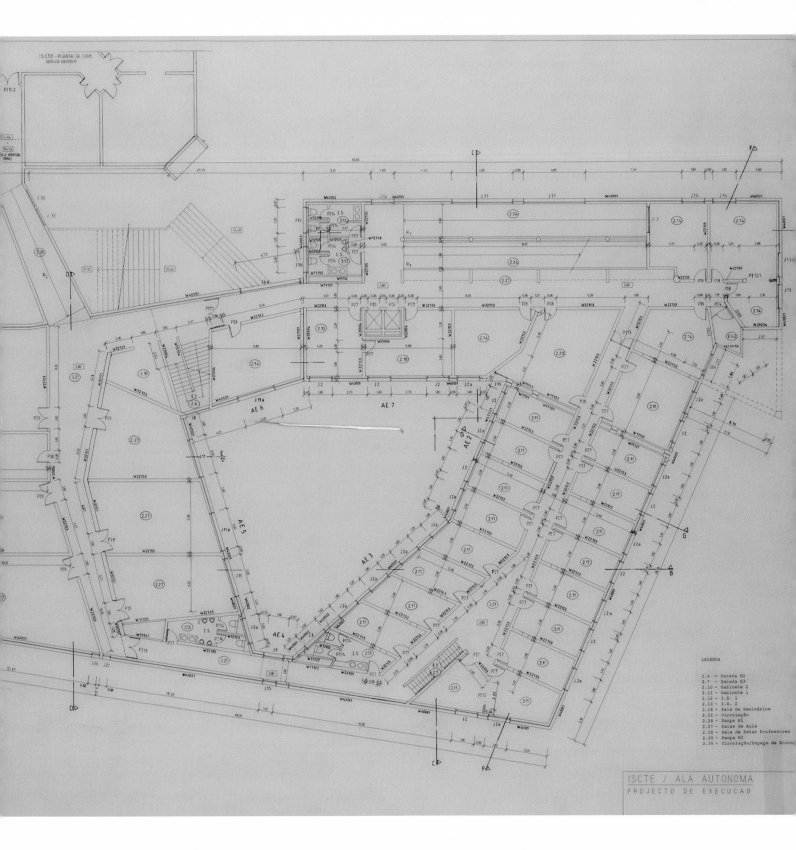

ISCTE / ALA AUTONOMA
PROJECTO DE EXECUCAO

LEGENDA

2.6 — Escada E2
2.7 — Escada E3
2.10 — Gabinete 2
2.11 — Gabinete 1
2.12 — I.S. 1
2.13 — I.S. 2
2.14 — Sala de Seminários
2.21 — Circulação
2.24 — Rampa R1
2.27 — Salas de Aula
2.28 — Sala de Estar Professores
2.35 — Rampa R2
2.39 — Circulação/Espaço de Enco

O edifício apenas se eleva a nascente e a norte, onde se confronta com
o espaço vazio, não planeado, mais tarde definido como a Praça Central
do ISCTE, agora concretizado. A Entrada da Ala Autónoma, a nascente, situada no Átrio que finaliza o percurso interior, iniciado no túnel
de ligação ao ISCTE I, cria com a Entrada do INDEG uma desejada
"tensão urbana".
A diversidade expressiva do exterior tem o seu contraponto no interior
com a "grande escala" do espaço das rampas que, por contraste, regula
o acesso, a distribuição e a altura dos compartimentos de cada piso.

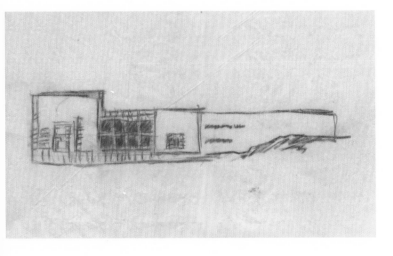

El edificio como que "emerge" del suelo, graduando las alturas con en entorno. Al sur, el muro cerrado y rasgado por la abertura llamada "cabeza de vaca", en el punto donde los espacios de los salones de clase y de los docentes se interrelacionan en un pasillo al cual fue otorgado un gran significado y desde donde también se visualiza el patio triangular. Al ponente tiene una presencia tenue en el prado con árboles que se mantuvo, y donde se implantó un volumen circular para preservar un antiguo piñal manso (que entretanto se murió...). El edificio apenas se eleva en la naciente y al norte, donde se encuentra con el espacio vacío, no planeado, más tarde definido como la Plaza Central del ISCTE. La Entrada a la Ala Autónoma, la naciente, situada en el Atrio que finaliza el recorrido interior, iniciado en el túnel de conexión con el ISCTE I, crea con la Entrada del INDEG una deseada "tensión urbana".

La diversidad expresiva del exterior tiene su contrapunto en el interior con la "gran escala" del espacio de las rampas que, por contraste, controla el acceso, la distribución y la altura de las divisiones de cada piso.

The building somewhat "emerges" from the land, graduating the clearances with the surroundings. To south, the blind wall is ripped off by the aperture named "cow's head", at the point where the classrooms and teaching staff interconnect on a corridor with great attributed significance and from where one can observe the triangle patio terrace. To west the presence is tenuous to the trees field, maintained, and where a circular volume was implanted to preserve an old pine tree (meanwhile dead..). The building only elevates to east and north, confronting the empty space, not planned, later on finished as ISCTE's Central Square. The Autonomous Wing entrance, to east, located in the lobby ends the inner path, initiated at the connection tunnel with ISCTE I, creates with INDEG's entrance a desired "urban tension".

The outside expressive diversity has a counterpart in the inside with the ramps space "great scale" that, by contrast, regulates the access, distribution and the height of each floor compartments.

Circulações e Átrio

As principais circulações da Ala Autónoma estruturam-se através do percurso existente do lado norte, entre o túnel de comunicação com o ISCTE I e a Entrada exterior, e as suas ramificações para sul. Esses percursos tanto são estreitos e com pé direitos limitados, como se expandem em altura, estabelecendo contrastes espaciais para uma dinamização dos espaços.

Circulaciones y Atrio

Las principales circulaciones de la Ala
Autónoma se estructuran a través del
camino existente del lado norte, entre
el túnel de comunicación con el ISCTE I
y la Entrada exterior, y sus ramificacio-
nes para el sur. Esos caminos tanto son
estrechos y tienen una altura limitada,
como se expanden en altura, estable-
ciendo contrastes espaciales para una
dinamización de los espacios.

Circulations and Lobby

The Autonomous Wing main circulations
are structured through the north side
existing path, between the communication tunnel with ISCTE I and the outside
entrance, and its ramifications to the
south. Those paths are once narrow and
with limited ceilings, as next, expand in
height, establishing spatial contrasts for
a space dynamisation.

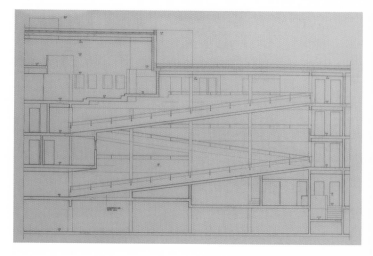

As ligações verticais, em conexão com os percursos horizontais descritos, processam-se quer pelas rampas, concebidas como "corredores inclinados" na continuidade dos percursos horizontais, através de espaços iluminados pelos grande vãos exteriores, a norte, quer por elevadores ou escadas estrategicamente localizadas. Estas últimas, irregulares na sua geometria, asseguram uma ligação visual com o pátio de base triangular no centro do edifício.

Las conexiones verticales, conectadas con los caminos horizontales descritos, se ejecutan tanto por las rampas, concebidas como "pasillos inclinados" en la continuidad de los caminos horizontales, a través de espacios iluminados por los grandes huecos exteriores al norte, como por los ascensores o escaleras estratégicamente localizadas. Estas últimas, irregulares en su geometría, aseguran una conexión visual con el patio de base triangular en el centro del edificio.

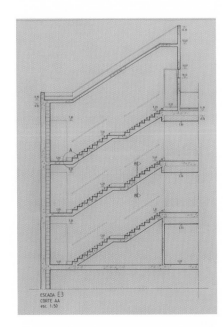

ESCADA E3
CORTE AA
esc. 1:50

Vertical links, connect with described horizontal paths, are processed either by ramps, conceived as " inclined paths" in continuity of horizontal paths, through spaces lightened by the large outside bays, to north, either by lifts or stairs strategically localized. These last, with irregular geometry, ensure a visual binding with the triangle base patio at the building's centre.

A Entrada do edifício, próxima do **INDEG**, orienta-se a sudeste e está abrigada por um espaço-pórtico triangular, de pé direito duplo, que contem uma varanda também triangular, acessível do piso superior, propícia a eventuais comunicações que não ocorrem.

O Átrio de pé direito baixo, antecedendo o espaço elevado das rampas, conduz directamente à zona dos auditórios, a mais pública do edifício.

La entrada del edificio, cercana al IN-DEG, se orienta al sureste y está abrigada por un espacio-pórtico triangular, de altura múltiple, que contiene un balcón también triangular, accesible al piso superior, que propicia eventuales comunicaciones que no ocurren.

El atrio de altura baja, que antecede el espacio elevado de las rampas, conduce directamente a la zona de los auditorios, la más pública del edificio.

The building's entrance, close to INDEG, is oriented to southeast and is sheltered by a triangular porche, with a double ceiling, containing a triangle balcony, accessible from the upper floor, favourable to possible communications not occurring.

The low pier wall lobby, preceding the ramps elevated space, leads directly to the auditoriums area, the most public on the building.

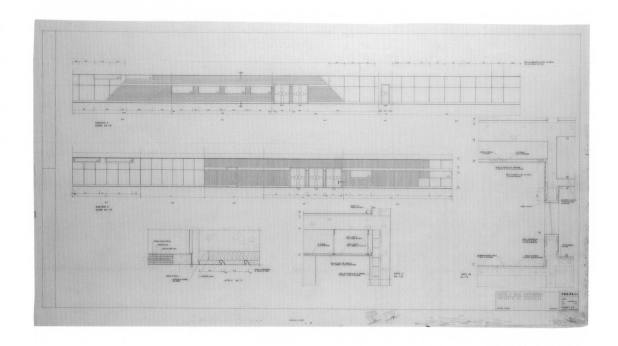

Os Auditórios

Situados no piso térreo do edifício, em ligação directa com o Átrio, os dois auditórios planos com um espaço técnico entre eles, são antecedidos por um espaço de estar com um pequeno bar de serviço de cafés, ligado ao pátio, no centro do edifício.

Os três espaços desta zona formam um sistema programado para ser utilizado separadamente ou em conjunto, para realizações várias no âmbito escolar ou por solicitação externa.

A relação com o terreno envolvente, deriva dos conceitos adoptados para a concepção do edifício, que se enterra no solo, emergindo onde as exigências de acesso ou iluminação o sugeriram. Assim, este conjunto de espaços, de nível, acede directamente, do lado nascente à zona noroeste do pátio, enquanto a poente, dando para o prado exterior, apenas usofrui de aberturas elevadas que garantem luz natural para os auditórios.

Los Auditorios

Situados en el piso térreo del edificio, en conexión directa con el Atrio, los dos auditorios planos, con un espacio técnico entre ellos, son antecedidos por un salón de estar con un pequeño bar con servicio de café, conectado con el patio, en el centro del edifico.

Los tres espacios de esta zona forman un sistema programado para ser utilizado separadamente o en conjunto, para diversos usos en el ámbito escolar, o por requisición externa.

La relación con el terreno circundante, deriva de los conceptos adoptados para la concepción del edificio, que se entierra solo emergiendo donde las exigencias de acceso o iluminación lo sugirieron. De esta forma, este conjunto de espacios, de niveles, accede directamente del lado naciente a la zona noroeste del patio, mientras que la ponente, que mira hacia el lado exterior, apenas consta de aberturas elevadas que garantizan luz natural para los auditorios.

Auditoriums

Located on the building's ground floor, in direct connection with the lobby, the two flat auditoriums with a technical space between them, are preceded by a leisure space and a small coffee-bar, connected to the patio, at the building's centre.

This area's three spaces form a system programmed to be used separately or together, for different school events or events by external solicitation.

The relation with the surrounding area, derives from the building's adopted concepts, that is buried in the land, emerging where the access needs or lightning suggested. Therefore, these spaces group, at level, accesses directly, from the east side to the patio at northwest, while to the west, facing the outside lawn, only has high apertures for natural light in the auditoriums.

Os Corpos de Aulas e Gabinetes

Os corpos de aulas e gabinetes, situados respectivamente a poente e nascente do edifício, possuem dimensões e pés direitos diferentes, tendo em conta a dimensão e funcionalidade dos espaços. Essa caracterização foi determinante para a configuração do edifício e sua volumetria, nomeadamente quanto à diversidade do número de pisos e aos desníveis entre eles.

O acesso a estas duas zonas, situadas dum lado e doutro do pátio, efectua-se perpendicularmente a partir do percurso principal do lado norte do edifício, não existindo qualquer barreira no acesso às aulas, sobrepostas à zona de anfiteatros, enquanto a área dos gabinetes tem um estatuto de maior privacidade, com uma porta na entrada no corredor de distribuição que se alarga, terminando numa bolsa.

Los Cuerpos de Aulas y Oficinas

Los cuerpos correspondientes a los salones de clase y oficinas, situados respectivamente en la poniente y naciente del edificio, poseen dimensiones y alturas diferentes, tomando en cuenta la dimensión y funcionalidad de los espacios. Esa caracterización fue determinante para la configuración del edificio y su volumetría, específicamente en cuanto a la diversidad del número de pisos y a los desniveles entre ellas.

El acceso a estas dos zonas, situadas de un lado y de otro del patio, se efectúa perpendicularmente a partir del camino principal del lado norte del edificio, sin existir cualquier barrera para el acceso a los salones de clase, sobrepuestas a la zona de anfiteatros, mientras que el área de las oficinas tiene un estatuto de mayor privacidad, con una puerta en la entrada del pasillo de distribución que se ensancha terminando en una bolsa.

The Classroom Bodies and Offices

The classroom bodies and offices, respectively located to west and east of the building, have different dimensions and ceilings, taking into consideration, spaces' dimension and functionality. That characterization was fundamental on the building's configuration and its volumetric, mainly as to the floors numbers diversities and the unlevelnesses between them.

The access to these two areas, located on each side of the patio, is done on the perpendicular from the main path on the building's north side, without any barrier on classrooms access, overlapping the amphitheatres area, while the offices area has a higher privacy status, with a door at the distribution corridor's entrance, that enlarges towards the end.

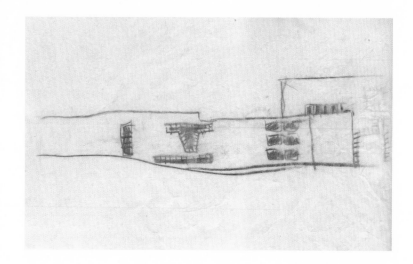

No entanto, estas duas zonas encontram-se ligadas por uma comunicação, normalmente fechada, que designamos por "corredor peripatético" limitado por uma parede exterior fechada a sul, com excepção duma única abertura com dois pisos de elevação, crismada de "cabeça de vaca", no alinhamento duma abertura para o pátio triangular.

Foi pensado que esse corredor, unindo as duas zonas, de professores e estudantes, permitiria encontros eventuais para reflexão sobre problemas suscitados pelas aulas próximas, beneficiando da situação única de convergência entre as aberturas para o exterior e para o pátio.

Sin embargo, estas dos zonas se encuentran conectadas por una comunicación, normalmente cerrada, que designamos por "pasillo peripatético" limitado por una pared exterior cerrada al sur, con excepción de una única abertura con dos pisos de elevación, bautizada de "cabeza de vaca", en el alineamiento de una abertura para el patio triangular.

Se pensó que ese pasillo, unido a las dos zonas de profesores y estudiantes, permitiría encuentros eventuales para la reflexión sobre problemas surgidos por los salones de clase cercanos, beneficiándose de la situación única de convergencia entre las aberturas para el exterior o para el patio.

However, these two areas are connected by a communication, usually closed, named "peripatético corridor" limited by an outside wall, blind to the south, with the exception of a single aperture with two floors height, named "cow's head", on the alignment of an aperture to the triangular patio.

It was thought that in the corridor, uniting both areas, professors and students, would allow possible encounters to reflect about problems resulting from classes nearby, benefiting of the unique convergence situation between the apertures to the outside and inside patio.

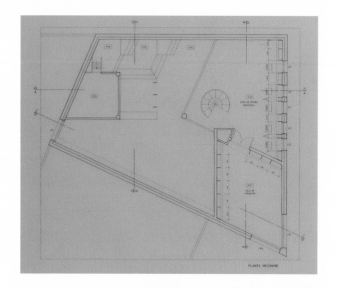

O Centro de Documentação

O Centro de Documentação situa-se no último piso do edifício, no extremo do sistema de rampas, correspondente ao volume mais elevado da Ala Autónoma, a nascente.

A configuração deste corpo permitiu que no interior fossem definidos dois níveis, sendo o inferior destinado à zona principal de leitura, com as estantes embutidas ao longo das paredes e o espaço central de leitura. Os vãos que iluminam esta zona situam-se a sul, do lado do terraço que cobre o corpo adjacente.

El Centro de Documentación

El Centro de Documentación se sitúa en el último piso del edificio, al final del sistema de rampas, correspondiente al volumen naciente, el más elevado de la Ala Autónoma.

La configuración de este cuerpo permitió que en el interior fueran definidos dos niveles, siendo el inferior destinado a la zona principal de lectura, con estantes empotrados a lo largo de las paredes y el espacio central de lectura. Los huecos que iluminan esta zona se sitúan al sur, del lado de la terraza que cubre el cuerpo adyacente.

Documentation Center

The Documentation Centre, is located on the building's last floor, at the end of the ramps system, corresponding to the east volume, highest level of the Autonomous Wing.

This body configuration allowed that inside two levels could be defined, the lower destined to reading's main area, with built-in bookshelves along the walls and the reading's central space. The bays enlightening this area are located to the south, from the terrace's side near the adjacent body.

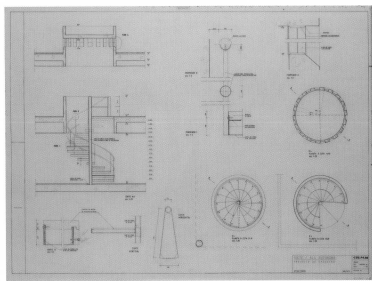

Uma escada circular conduz ao nível superior onde se definiram postos individuais para um estudo mais concentrado, junto a aberturas exteriores, para além de uma sala para trabalho de grupo ou outra função análoga.

Una escalera circular conduce al nivel superior donde se definieron puestos individuales para un estudio mas concentrado, junto a aberturas exteriores, además de una sala para trabajo de grupo u otra función análoga.

A circular stair leads to the upper level where were defined individual places for a more concentrated study, next to outside apertures, and also a room for group work or activities alike.

Centro de Formação do
INDEG | ISCTE 1991 | 95
Restaurante 2000|01
Corpo de gabinetes 2005

Centro de Formación del
INDEG | ISCTE
Restaurante 2000|01
Cuerpo de oficinas 2005

INDEG's Post Graduation
INDEG | ISCTE
Restaurant 2000|01
Offices Body 2005

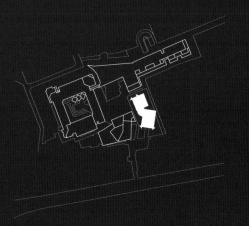

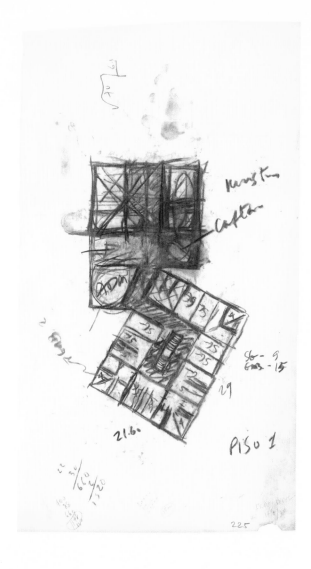

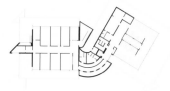

PISO 2

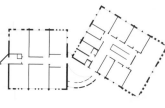

PISO 1

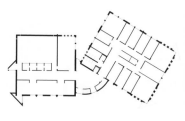

PISO 0

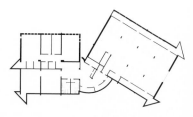

PISO -1

O Centro de Formação do INDEG (Instituto para o Desenvolvimento da Gestão Empresarial) / ISCTE é o terceiro edifício a integrar o Complexo do ISCTE e, apesar de isolado dos restantes e com uma imagem que acentua a sua autonomia, mantém uma estreita relação física com os anteriores, estando na proximidade da Ala Autónoma.

Este edifício, concebido posteriormente ao da Ala Autónoma (embora construído antes), é de certa forma uma simbiose dos dois edifícios anteriores do Complexo, pois, com base em dois prismas articulados por um corpo de base cilíndrica, concilia a regularidade do edifício inicial do ISCTE com a diversidade expressiva da Ala Autónoma, manifestada nas aberturas e varandas mas, sobretudo, no corpo de entrada, limitado pela localização periférica duma escada de acesso circular.

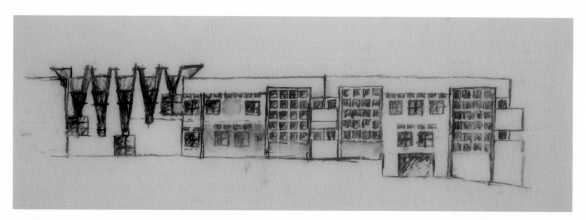

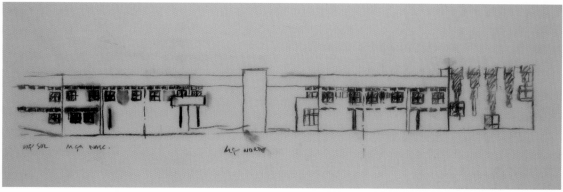

El Centro de Formación del INDEG (Instituto para el Desarrollo de la Gestión Empresarial) / ISCTE es el tercer edifico a integrar, el Complejo del ISCTE, a pesar de aislado de los restantes y con una imagen que acentúa su autonomía, mantiene una estrecha relación física con los anteriores, estando cercano a la Ala Autónoma.

Este edificio, concebido posteriormente al lado de la Ala Autónoma (aunque construido antes), y de cierta forma siendo una simbiosis de los dos edificios anteriores del Complejo, pues, con base en dos prismas articulados por un cuerpo de base cilíndrica, concilia la regularidad del edificio inicial del ISCTE con la diversidad expresiva de la Ala Autónoma, manifestada en las aberturas y balcones, pero sobretodo, en el cuerpo de entrada, limitado por la localización periférica de una escalera de acceso circular.

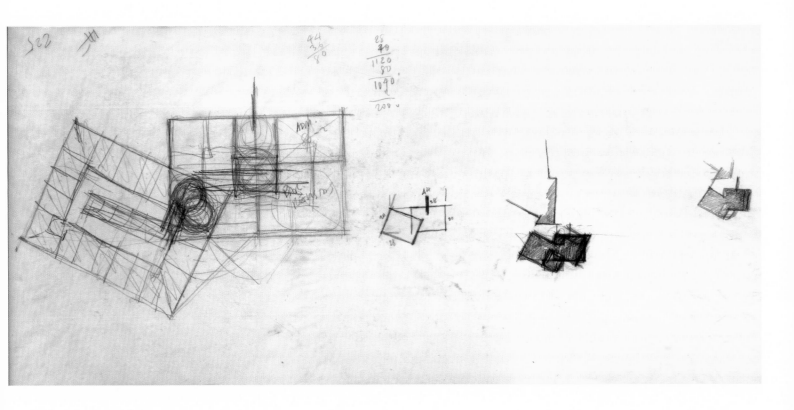

INDEG's post graduation centre (*Instituto para o Desenvolvimento da Gestão Empresarial*) / ISCTE is the third building to integrate ISCTE's Complex and, though isolated from the rest and with its own image that stands out its autonomy, mantains a close physical relation with the former, being in the Autonomous Wing neighbourhood.

This building, conceived after the Autonomous Wing (though constructed before), is somehow a symbiosis of the two previous complex's buildings, because, based on two articulated prisms with a cylindrical based body, conciliates ISCTE's initial building with the Autonomous Wing expressive diversity, present on the apertures and balconies but, mostly, on the entrance body, limited by the peripheral location of a circular access stairs.

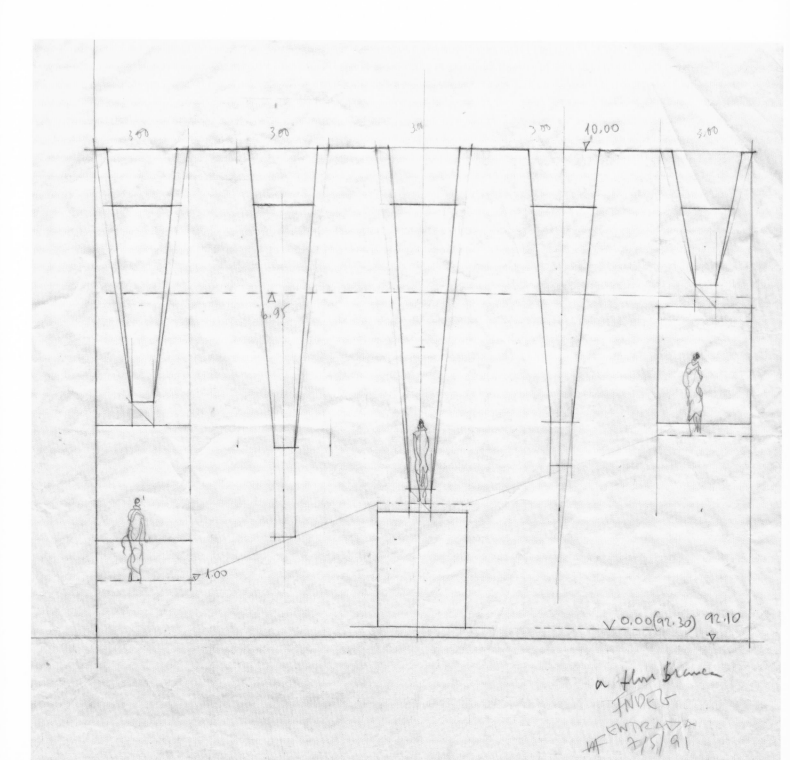

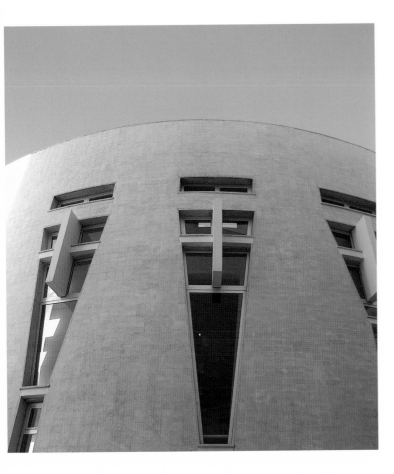

La importancia del Cuerpo cilíndrico de la Entrada del INDEG es acentuada por tratarse de la única superficie curva que surge en todo el conjunto del ISCTE. El sistema de aberturas triangulares adoptado, corresponde a un "momento especial" en la creación de vínculos.

Estaba previsto que el edificio fuera construido con paredes de concreto blanco, pero algunas dificultades surgidas en la adjudicación de la obra condujeron a la opción de paredes de mampostería revestidas con mosaico vidriado, infelizmente mal aplicado y sin los mejores resultados en lo que se refiere a su mantenimiento. En una fase posterior de obras de ampliación del edificio, parte de ese revestimiento, específicamente en la superficie cilíndrica del Cuerpo de Entrada, fue cambiado por pequeños mosaicos de piedra.

The importance of the cylindrical body of INDEG's entrance is stressed because its the only curve surface in all ISCTE group. The triangle apertures system adopted, corresponds to a "special moment" in bonds creation.

It was decided that the building should be constructed with white concrete walls, but difficulties during the construction work award motivated the option for masonry walls covered with small vitreous tiles, unfortunately badly inserted and without the best of results in what concerns maintenance. At a later phase of the building's enlargement works, part of that cover, especially at entrance body cylindrical surface, was replaced by small stone tiles.

A importância do Corpo cilíndrico da Entrada do INDEG é acentuada por se tratar da única superfície curva que surge em todo o conjunto do ISCTE. O sistema de aberturas triangulares adoptado, corresponde a um "momento especial" na criação de vínculos.

Estava previsto que o edifício fosse construído com paredes de betão branco, mas dificuldades surgidas na adjudicação da empreitada motivaram a opção por paredes de alvenaria revestidas com mosaico vidrado, infelizmente mal aplicado e sem os melhores resultados quanto à sua manutenção. Em fase posterior de obras de ampliação do edifício, parte desse revestimento, nomeadamente na superfície cilíndrica do Corpo de Entrada, foi substituído por pequenos mosaicos de pedra.

Átrio e Circulações

A entrada, situada em frente da Ala Autónoma, insere-se na superfície circular do Corpo que separa os dois volumes prismáticos do edifício, um deles com sala de convívio e auditório no piso térreo e aulas no piso elevado e o outro com gabinetes, biblioteca e salas de estudo.

O fragmento de cilindro que define o Átrio do edifício é constituído por uma escada circular, situada entre duas paredes concêntricas, que separam o átrio propriamente dito do exterior, coando a luz natural através de aberturas triangulares. Este percurso em espiral, de acesso desde o exterior ao meio piso superior, também limitado por uma plataforma circular, confere um carácter especial a um espaço de grande simplicidade na sua génese.

Tanto no piso inferior como no superior, se definem acessos verticais alternativos, situando-se no paralelipipedo a sul, de maior dimensão, uma escada unidireccional, que posteriormente permitiu o acesso a um novo corpo, o do restaurante.

Atrio y Circulaciones

La entrada, situada enfrente de la Ala Autónoma, se inserta en la superficie circular del Cuerpo que separa los dos volúmenes prismáticos del edifico, uno de ellos con sala de convivencia y auditorio en el piso térreo, y salones de clase en el piso elevado y otro con oficinas, biblioteca y salones de estudio.

El fragmento del cilindro que define el Atrio del edifico esta constituido por una escalera circular, situada entre dos paredes concéntricas que separan el atrio propiamente dicho del exterior, colando la luz natural a través de aberturas triangulares. Este camino en espiral, de acceso desde el exterior al piso medio superior, también limitado por una plataforma circular, le confiere un carácter especial a un espacio de gran simplicidad en su origen.

Tanto en el piso inferior como en el superior, se definen accesos verticales alternativos, situándose en el paralelepípedo al sur, de mayor dimensión, una escalera unidireccional, que posteriormente permitió el acceso a un nuevo cuerpo, el del restaurante.

Lobby and Circulations

The entrance, located in front of the autonomous Wing, is inserted in the Body's circular surface separating the building's two prismatic, one of them with a public space and auditorium on the ground floor and on the upper floor classrooms, and the other offices, library and study rooms.

The cylinder fragment defining the building's lobby is constituted by a circular stair, located between two concentric walls. Separating the true lobby from the outside, filtering the natural light through triangular apertures. This spiral path, accessing from the outside to the upper half floor, also limited by a circular platform, gives a special character to a space with a very simple genesis.

Both at the lower and upper floors, are defined alternative vertical accesses, a unidirectional stair is located on the parallelepiped at south, of higher dimension, that afterwards allowed access to a new body, the restaurant.

Restaurante 2000|01

Restaurante
Restaurant

O funcionamento desta instituição foi exigindo sucessivas alterações e acrescentos para lhe facultar todos os apoios necessários, nomeadamente com a definição de espaços em cave, destinados ao sector de informática e, posteriormente, com a criação de uma zona de restauração no terraço do corpo sul, a partir da sua escada central.

This institution's functioning demanded successive alterations and additions to have all possible supports, mainly the definition of basement spaces, destined for the informatics sector, and later, with the creation of a meals area at the south body roof, from its central staircase.

This institution's functioning demanded successive alterations and additions to have all possible supports, mainly the definition of basement spaces, destined for the informatics sector, and later, with the creation of a meals area at the south body roof, from its central staircase.

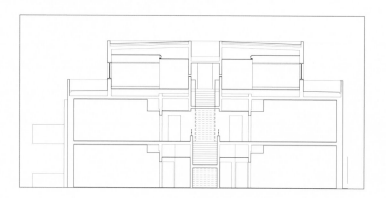

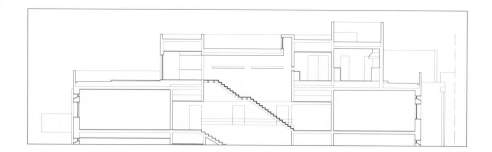

Com base no acesso através da escada central, o restaurante estruturou-se, com apoio da cozinha a norte, em dois espaços simétricos, a sudeste e a sudoeste, com características diversas, sendo um deles mais formal, para serviço de almoços e jantares, e o outro de carácter informal, para apoio aos cursos de pós-graduação do INDEG, com um horário mais dilatado.

Ambos os espaços são directamente acessíveis quer pela escada quer pelo elevador do edifício, possuindo também uma ligação directa ao terraço da cobertura deste corpo sul, utilizado como esplanada.

Construtivamente, para além da caixa central que contém a escada de acesso ao restaurante, que prolonga a estrutura inferior do edifício, em betão, adoptou-se uma estrutura metálica, que sustenta a cobertura em cobre.

Basado en el acceso a través de la escalera central, el restaurante se estructuró con apoyo de la cocina al norte, en dos espacios simétricos, al sureste y suroeste, con características diversas, siendo uno de ellos más formal, para el servicio de almuerzos y cenas, y otro de carácter informal, para servir a los cursos de post-graduación del INDEG, con un horario más extenso.

Ambos espacios son directamente accesibles tanto a través de la escalera como por el ascensor del edificio, teniendo también conexión directa a la parte de la cobertura de este cuerpo sur, utilizada como terraza.

Constructivamente, además de la caja central que contiene una escalera de acceso al restaurante, que prolonga la estructura inferior del edifico en concreto, se adoptó una estructura metálica, que sustenta la cobertura en cobre.

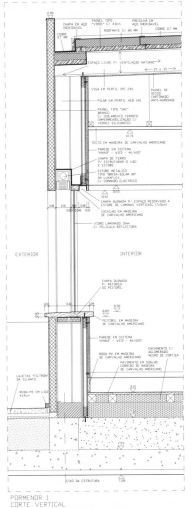

Based on the access through the central staircase, the restaurant was structured, with kitchen support on the north, in two symmetrical spaces, southeast and southwest, with different characteristics, one more formal, for lunches and dinners, and another more informal, to support INDEG's post graduation courses, with a larger schedule.

Both spaces are directly accessible, either through the staircase, either by the building's lift, possessing also a direct connection to the rooftop of the south body, used as esplanade.

Constructvely, besides the central box containing the access staircase to the restaurant, that elongates the building's lower structure, made of concrete, a metallic structure was adopted, holding the copper roof.

PORMENOR 1
CORTE VERTICAL

Gabinetes (Biblioteca) 2005

Oficinas (Biblioteca)
Offices (Library)

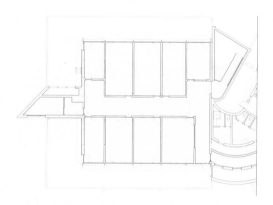

Años después de la construcción del restaurante en la cobertura del cuerpo sur del INDEG, se decidió, teniendo en cuenta las limitaciones de espacio existentes en el edificio, la programación de una Biblioteca en la cobertura del cuerpo norte, que permitiría la liberación del espacio que ahora ocupa, en el piso 2 del cuerpo sur.

Posteriormente se comprobó que, con el desarrollo del proceso de digitalización de la documentación y su accesibilidad del exterior, no se justificaba la creación de una biblioteca con dimensiones mayores que la actual, siendo más lógico utilizar el espacio de la cobertura al norte, para implantar un conjunto de oficinas, con áreas de apoyo y una sala de reuniones.

Years after the restaurant's construction at the INDEG's south body cover, it was decided, taking into account the building existing space restraints, the programming of a library at the north body cover. That would allow the space liberation, presently occupied by it, on south body's second floor.

Later on, it was verified that, with the development of documentation scanning and its accessibility from the outside, the creation of a library with higher dimensions than the present was not justified, being more logic to use the cover space, north, for a group of offices, with support areas and a meeting room.

Anos após a construção do restaurante na cobertura do corpo sul do INDEG, foi decidido, tendo em conta os constrangimentos de espaço existentes no edifício, a programação de uma Biblioteca na cobertura do corpo norte, que permitiria a libertação do espaço que agora ocupa, no piso 2 do corpo sul.

Posteriormente foi verificado que, com o desenvolvimento do processo de digitalização da documentação e sua acessibilidade do exterior, não se justificava a criação duma biblioteca com maiores dimensões que a actual, sendo mais lógico utilizar o espaço da cobertura, a norte, para implantar um conjunto de gabinetes, com áreas de apoio e uma sala de reuniões.

A fim de simplificar as circulações existentes no edifício e tirar maior benefício do elevador existente, optou-se por garantir uma ligação entre o espaço a sul (onde se situa o restaurante) e a nova área de gabinetes a norte, programando-se apenas uma nova escada de acesso à área de gabinetes.

A definição dessa escada no corpo norte, iniciando-se no piso superior do átrio de entrada, a que se acede pela escada circular já referida, obrigou a uma pequena expansão horizontal da zona central do edifício para nascente, criando um espaço no piso 2, para arranque da nova escada, e espaços idênticos nos dois pisos inferiores, para apoio das zonas anexas.

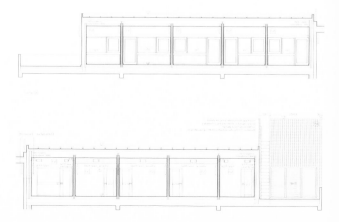

Con la finalidad de simplificar las circulaciones existentes en el edificio y sacar mayor beneficio del ascensor existente, se optó por garantizar una conexión entre el espacio al sur (donde se sitúa el restaurante) y la nueva área de oficinas al norte, programándose apenas una nueva escalera de acceso al área de oficinas.

La definición de esa escalera en el cuerpo norte, iniciándose en el piso superior del atrio de entrada, al que se accede por la escalera circular ya mencionada, obligó a una pequeña expansión horizontal de la zona central del edificio hacia la naciente, creando un espacio en el piso 2, para arrancar con la nueva escalera, y espacios idénticos en los dos pisos inferiores, como apoyo de las zonas anexas.

In order to simplify the building's existing circulations and take the greatest benefit from the existing lift, it was chosen to guarantee a connection between the south space (where the restaurant is located) and the new offices area to the north, programming only a new staircase with access to the offices area.

The north body staircase definition, initiating on the upper floor of the entrance lobby, accessible from the earlier mentioned circular staircase, forced a small horizontal expansion of the building's central area to east, creating a space on the second floor, to start the new staircase, and identical spaces on lower floors, to support the annex areas.

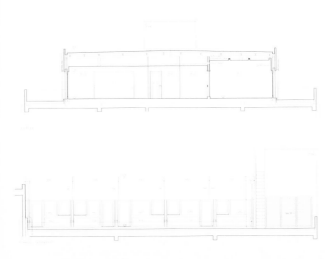

Dado que a forma construtiva deste piso de gabinetes é similar à adoptada no corpo sul, constituída por uma estrutura metálica, considerou-se que essa opção devia ser acentuada nos próprios pormenores dos novos espaços, coexistindo com a madeira que lhes garante o necessário conforto. Assim, quer a escada de acesso, quer as caixilharias, e os pormenores de vãos e rodapés interiores, utilizam o metal e a madeira, na sua caracterização.

Debido a que el estilo de construcción de este piso de oficinas es similar al adoptado en el cuerpo sur, constituido por una estructura metálica, se consideró que esa opción debía ser acentuada en los pormenores de nuevos espacios, coexistiendo con la madera que les garantiza
la comodidad necesaria. De esta forma, ya sea las escaleras de acceso, los marcos, y los pormenores de huecos y rodapiés interiores, utilizan el metal y la madera, en su caracterización.

As this floor's constructive form is similar to the one adopted on the south body, constituted by a metallic structure, it was considered that the option should be stressed on the new spaces details, co-existing with the wood that guarantees them the necessary comfort. Therefore, either the access staircase, the joints, and the details of inside bays and shoe moulds, use metal and wood, in their characterization.

Do ISCTE a Fontenay, memórias de viagem

Del ISCTE a Fontenay, memorias del viaje

From ISCTE to Fontenay, travelling memories

José Forjaz
Maputo, Outubro 2004

The essence of my travels are the architectures populating them.

Casual or chosen, invited or intruder, I go around that world with eyes at 360 degrees, observing and living spaces and shapes, the architectures where I seat, take shelter, work or leisure, suffering or enjoyment.

Many times is with a sideways accidental glimpse that I discover the presence of one more rare work, still full of that intensity of values that always cause me a profound emotional vibration.

With a great emotion I am carried away, and allow to be driven, to contemplation and experience living an intelligent and human space, from an organism of shapes glorifying light, and the shadow and matter and its dematerialisation, that are based on the ground as its inevitable consequence and explained by the natural logic of its path, showing the coherence of its invention, from volumes to detail.

On this last travel, between friends and duties, once more I was offered those opportunities, those pleasures, those privileges.

And there were two great moments of emotion.

In Lisbon, with my great friend Raúl Hestnes Ferreira, in Burgundy with another great friend, and wise man, Patrice Rauszer, also an architect and a professor but, now, exclusively dedicated to the trade of thinking and writing.

La esencia de mis viajes son pobladas por las arquitecturas. Casuales o escondidas, invitado o intruso, voy por ese mundo con los ojos a 360 grados, observando y viviendo los espacios y las formas, las arquitecturas donde me siento, me abrigo, trabajo o paseo, sufro o gozo.

Muchas veces es con un vislumbre fortuito y lateral que descubro la presencia de una obra más rara, más llena de aquella intensidad de valores que me provoca siempre una profunda vibración emocional.

Con gran emoción me llevo, y me dejo guiar a la contemplación y a la vivencia de un espacio inteligente y humano, de un organismo de formas que glorifique la luz y la sombra y la materia y su desmaterialización, que asiente en el terreno como su secuencia inevitable y se explique en la lógica natural de su camino, demostrando la coherencia de su invención, de los volúmenes al detalle.

En este último viaje entre amigos y deberes, una vez más se me ofrecieron aquellas oportunidades, aquellos placeres , aquellos privilegios.

Y los momentos de gran emoción fueron dos.

En Lisboa con el gran amigo Raúl Hestnes Ferreira, en Borgoña con otro gran amigo, y sabio, Patrice Rauszer, también arquitecto y profesor, pero ahora, exclusivamente dedicado al oficio de pensar y escribir.

A essência das minhas viagens são as arquitecturas que as povoam.

Casuais ou escolhidas, convidado ou intruso, vou por esse mundo com os olhos a 360 graus, observando e vivendo os espaços e as formas, as arquitecturas onde me sento, me abrigo, trabalho ou passeio, sofro ou gozo.

Muitas vezes é com um vislumbre lateral e fortuito que descubro a presença de uma obra mais rara, mais cheia daquela intensidade de valores que me provocam sempre uma profunda vibração emocional.

Com grande emoção me levo, e me deixo guiar, à contemplação e à vivência de um espaço inteligente e humano, de um organismo de formas que glorifique a luz, e a sombra e a matéria e a sua desmaterialização, que assente no terreno como uma sua consequência inevitável e se explique na lógica natural do seu percurso, demonstrando a coerência da sua invenção, dos volumes ao detalhe.

Nesta última viagem, entre amigos e deveres, mais uma vez se me ofereceram aquelas oportunidades, aqueles prazeres, aqueles privilégios.

E foram dois grandes os momentos de emoção.

Em Lisboa com o grande amigo Raúl Hestnes Ferreira, na Borgonha com outro grande amigo, e sábio, o Patrice Rauszer, também arquitecto e professor mas, agora, exclusivamente dedicado ao ofício de pensar e de escrever.

Com o Raúl fomos desvendar uma tarefa sua onde investiu mais de vinte anos de trabalho de projecto e de construção – o campus do ISCTE (Instituto Superior de Ciências do Trabalho e de Empresa), do INDEG (Instituto para o Desenvolvimento da Gestão Empresarial) e do ICS (Instituto de Ciências Sociais).

Com o Patrice voltámos, ainda e sempre, a Fontenay e ao esplendor contido e surdo do românico cisterciense.

O acaso cada dia me parece mais raro e, nesta sequência de momentos escolhidos, julgo distinguir uma lógica exacta, que nasce no interesse e na paixão por essa gastronomia dos sentidos que é aquele, já referido privilégio, nosso por sabermos medir-lhe as dimensões transcendentes da poesia cristalizada na arquitectura conseguida.

É dessas dimensões que quero falar.

Não é da possível ou fortuita semelhança das formas e das densidades de luz, e das sombras que a alimentam, da presença palpável do material ou mesmo das continuidades e pulsações das três dimensões mais conhecidas do espaço, tão bem modeladas nos dois casos, que quero falar.

Quero falar da essência e da atitude pois que os resultados, e o seu mérito, são delas a inevitável consequência.

Do arquitecto de Fontenay não sabemos nada. Mas seria parecido com o Raúl.

Por outras palavras: conhecendo o Raúl podem deduzir-se-lhe as arquitecturas.

Conhecendo Fontenay pode reconstruir-se-lhe o arquitecto.

Daí que das essências espaciais, e das mesmas e patentes atitudes, se possa concluir a semelhança de caracter destes dois arquitectos tão modernos e tão medievais os dois.

Con Raúl fuimos a revelar una tarea suya, en la que invirstió más de veinte años de trabajo, de proyectos y construcción – el campus del ISCTE (Instituto Superior de Ciencias del Trabajo y de la Empresa), del INDEG (Instituto para el Desarrollo de la Gestión Empresarial) y del ICS (Instituto de Ciencias Sociales).

Con Patrice volvimos, todavía y siempre a Fontenay, y al esplendor contenido y sordo del románico cisterciense.

El acaso de cada día me parece más raro, y en esta secuencia de momentos escogidos, creo distinguir una lógica exacta, que nace en el interés y en la pasión por esa gastronomía de los sentidos y que es el ya referido privilegio nuestro por saber medir las dimensiones transcendentes de la poesía cristalizada en la arquitectura conseguida.

Es de esas dimensiones que quiero hablar.

Nos es de la posible y fortuita semejanza de las formas y de las densidades de luz, y de las sombras que la alimentan, de la presencia palpable de lo material o hasta de las continuidades y pulsaciones de las tres dimensiones más conocidas del espacio, tan bien modeladas en los dos casos que quiero hablar.

Quiero hablar de la esencia y de la actitud, ya que los resultados y su mérito son consecuencia inevitable de ellas.

Del arquitecto de Fontenay no sabemos nada. Pero seria parecido con Raúl.

En otras palabras: conociendo a Raúl se pueden deducir las arquitecturas.

Conociendo a Fontenay se puede reconstruir el arquitecto.

With Raul, we went to discover his task, where he invested more than twenty years of project and construction work – ISCTE campus (*Instituto Superior de Ciências do Trabalho e da Empresa*), INDEG (*Instituto para o Desenvolvimento da Gestão Empresarial*) and ICS (*Instituto de Ciências Sociais*).

With Patrice we came back, still and always, to Fontenay and to the contained and deaf splendour of romanesque Cistercian.

Random each day seems more rare to me and, on this sequence of chosen moments, I think I distinguish an exact logic, born from interest and passion for that senses gastronomy that is, the already mentioned privilege, ours for knowing how to measure the transcendent dimensions of crystallized poetry on achieved architecture.

It's about those dimensions I wish to talk.

It is not about the possible or casual similarity of shapes and light densities, and of shadows that nourish it, the felt presence of material or even the continuities and pulses of the three best known dimensions of space, as well modelled in both cases, that I want to talk.

I want to talk about the essence and the attitude because the results, and its merit, are their inevitable consequence.

From the Fontenay architect we know nothing. But he would be similar to Raúl.

By other words: knowing Raúl the architectures can be deduced.

Knowing Fontenay we can reconstruct the architect.

Therefore from the spatial essences, and from the same patent attitudes, we can conclude the character similarity of these two architects, both so modern and so medieval. Timeless.

On the two architectures each space and each shape counts, counts the alternation and the pulsing of scales and proportions, counts the logic of each structural element and the simplicity of its expression, counts the modesty of detail, so wise that only attentive and educated eyes perceive the science and the invention; counts the freedom of composing as to the program evolution without loosing the integrity of the whole.

On the two architectures, also, both architects accepted and responded to very precise and ordinate programs for spaces to concatenate and model, between transitions and arrival moments.

Both architectures are made to shelter thinking, reflection, meditation and action.

In Fontenay a part of the organism served for iron work, but its integration on the monastic complex is a lesson in recognizing dignity to handicraft and to intelligence on the use of water and forest natural forces.

In Lisbon the university organism is more complex but less diverse. The residential and the industrial are not represented.

But its openness to a varied class of users and uses brings it the same need for integrative articulation and each space scale and proportion control.

Both architectures are developed and explained, ordinate and justified in order to the space involved by them.

In Fontenay the cloister, the courtyards in ISCTE.

De ahí, que de las esencias espaciales, y de las mismas y visibles actitudes, se pueda concluir la semejanza de carácter de estos dos arquitectos, los dos tan modernos y medievales. Intemporales.

En las dos arquitecturas cuenta cada espacio y cada forma, cuenta la alternabilidad y el pulsar de las escalas y de las proporciones, cuenta la lógica de cada elemento estructural y la simplicidad de su expresión, cuenta la modestia del pormenor, tan sabio que solo los ojos atentos y educados le entienden la ciencia y la innovación; cuenta la libertad de componer según la evolución del programa sin perder la integridad del todo.

En estas dos arquitecturas, también los dos arquitectos aceptaron y respondieron a programas bien precisos y ordenados para los espacios, encadenando y modelando entre transiciones y los momentos de la llegada.

Son dos arquitecturas hechas para alojar el pensamiento , la reflexión , la meditación y la acción.

En Fontenay una parte del organismo servia para el trabajo del hierro, pero su integración en el complejo monástico es una lección de la dignidad reconocida al trabajo manual y a la inteligencia en el uso de las fuerzas naturales del agua y del bosque.

En Lisboa el organismo universitario es más complejo pero menos diverso. Quedando fuera lo residencial y lo industrial.

Pero su apertura a una clase variada de usuarios y de usos le trae la misma necesidad de articulación integrativa, y de control de la escala y de la proporción de cada espacio.

Intemporais.

Nas duas arquitecturas conta cada espaço e cada forma, conta a alternância e o pulsar das escalas e das proporções, conta a lógica de cada elemento estrutural e a simplicidade da sua expressão, conta a modéstia do pormenor, tão sábio que só os olhos atentos e educados lhe percebem a ciência e a invenção; conta a liberdade de compor segundo a evolução do programa sem perder a integridade do todo.

Nestas duas arquitecturas, também, os dois arquitectos aceitaram e responderam a programas bem precisos, e ordenados para os espaços a encadear e a modelar, entre transições e os momentos de chegada.

São duas arquitecturas feitas para albergar o pensamento, a reflexão, a meditação e a acção.

Em Fontenay uma parte do organismo servia para o trabalho do ferro mas a sua integração no complexo monástico é uma lição da dignidade reconhecida ao trabalho manual e á inteligência no uso das forças naturais da água e da floresta.

Em Lisboa o organismo universitário é mais complexo mas menos diverso. Fica-lhe de fora o residencial e o industrial.

Mas a sua abertura a uma classe variada de usuários e de usos traz-lhe a mesma necessidade de articulação integrativa e de controle da escala e da proporção de cada espaço.

Ambas estas arquitecturas se desenrolam e se explicam, se ordenam e se justificam em função do espaço que envolvem.

Em Fontenay o claustro, os pátios no ISCTE.

Ambas estas entidades espaciais são entendidas como o

centro focal da vida que se lhes desenrola em torno, como os grandes elementos orientadores funcionais e visuais de todo o conjunto dos espaços e das circulações, como uma redução, á escala humana, do grande espaço exterior, agora humanizado.

Numa dimensão ofereceu o ISCTE mais oportunidades de manipulação espacial: na vertical.

Aqui encontrou o arquitecto uma das razões para a sua mais importante contribuição. Falo das escadas e das rampas, sempre magnificamente manipuladas, espacialmente e no detalhe expressivo.

Em Fontenay a única escada da abadia é a de acesso ao dormitório cuja nave, tardia e magnifica, se apercebe e se descobre a partir dos primeiros degraus que lhe definem o volume denso, apenas anunciado na cabeceira da nave lateral direita.

No ISCTE as oportunidades são múltiplas e o arquitecto não perdeu nenhuma.

É nos espaços intersticiais, horizontais e verticais, que se revela com mais segurança a mestria desta arquitectura que, ao longo de quase trinta anos, se foi fortalecendo, refinando e afirmando sem necessidade das contorções histéricas e retóricas que são, infelizmente, a regra histriónica mais seguida hoje.

Naturalmente que uma tão correcta arquitectura não poderia deixar de ser correctamente concebida em termos ambientais e tecnológicos, que são sempre a fundação mais sólida para o sucesso de um organismo de tão diversas valências. Igual correcção encontramos na sua inserção urbana, respeitadora de escalas e de verdes e criadora de uma imagem de grande dignidade institucional.

Ambas arquitecturas se desenvuelven y se explican, se ordenan y se justifican en función del espacio que envuelven.

En Fontenay el claustro, los patios en el ISCTE. Ambas entidades espaciales son entendidas como el centro focal de la vida que se desenvuelve en su entorno, como los grandes elementos orientadores funcionales y visuales de todo el conjunto de los espacios y de las circulaciones, como una reducción a la escala humana, del gran espacio exterior ahora humanizado.

En una dimensión el ISCTE ofreció más oportunidad de manipulación espacial: en la vertical.

Aquí el arquitecto encontró una de las razones para su contribución más importante. Hablo de las escaleras y de la rampas, siempre magníficamente manipuladas espacialmente y en el detalle expresivo.

En Fontenay la única escalera de la abadía es la de acceso al dormitorio cuya nave, tardía y magnífica, se percibe y se descubre a partir de los dos primeros escalones que definen el volumen denso, apenas anunciado en la cabecera de la nave lateral derecha.

En el ISCTE las oportunidades son múltiples y el arquitecto no perdió ninguna.

Es en los espacios intersticiales, horizontales y verticales que se revela con más seguridad la maestría de esta arquitectura que, a lo largo de casi treinta años, se fue fortaleciendo, refinando y afirmando sin necesidad de las contorsiones histéricas y retóricas que son infelizmente, la regla histriónica más seguida hoy en día.

Naturalmente que una arquitectura tan correcta no podría dejar de ser correctamente concebida en términos ambientales y tecnológicos, que son

Both spatial entities are perceived as the focus centre of life around them, as the great functional and visual orientating elements of the totality of the spaces and circulations, like a reduction, to human scale, of the great exterior space, now humanised.

On a dimension ISCTE offered more opportunities for spatial manipulation: on the vertical.

Here the architect found one of the reasons for his most important contribution. I mean the stairs and the ramps, always magnificently manipulated, spatially and on expressive detail.

In Fontenay the abbey's single stairs gives access to the dormitory whose nave, late and magnificent, is perceived and discovered from the first steps defining its dense volume, only announced on the high altar of the right side nave.

In ISCTE the opportunities are multiple and the architect did not lose any of them

It is on interstitial, horizontal and vertical spaces, that reveal with more security the mastery of this architecture which, throughout almost thirty years, was strengthened, refined and declared without the need for hysterical contortions and rhetoric that unfortunately are, the most followed histrionic rule.

Naturally, such a correct architecture could not be but correctly conceived on environmental and technological terms that are always the most solid foundation for the success of an organism with so many valences. We find an equal correction on its urban insertion, respecting scales and greens and creating an image of great institutional dignity.

On the general mediocrity of contemporaneous production, self-forgiven by the supposed imposition of speculative values and the client's lack of culture, a exemplary work, like this, certainly reflecting the client's illuminated culture, could only be possible with an attitude of intransigent search for quality at all levels of conception, elaboration of its highly professional project and the passionate experience of its building process.

This work deserves a more straightforward critique, quantitative and with absence of passion because it would emphasize, even more, the performance and economy qualities, that I merely understood on my visit. I believe and hope this will happen, to make justice.

From me here is this appreciation, evermore rare and difficult to feel and do, to the production of an architect out of fashions and, therefore working on the most universal and timeless values of this discipline that is recognized and identified, always on the permanent timeless modernity thrilling works where materials sing and space vibrates at each moment of the path.

From Fontenay to ISCTE, and from much earlier to much latter, we hope that architecture will always be the reflex of values that are, so present, in these two works.

siempre la fundación más sólida para el éxito de un organismo de valencias tan diversas. Igual corrección encontramos en su inserción urbana, respetadora de escalas y de verdes, y creadora de una imagen de gran dignidad institucional.

En la generalizada mediocridad de la producción contemporánea, auto disculpada por la supuesta imposición de valores especulativos y de la incultura del cliente, una obra ejemplar como esta, que refleja ciertamente la cultura iluminada del cliente, solo seria posible con la actitud de una intransigente búsqueda de la calidad en todos los niveles de su concepción, de la elaboración de su professionalissimo, proyecto y de la vivencia apasionada de su proceso de construcción.

Esta obra merecería otra crítica más objetiva, cuantitativa y desapasionada pues le haría resaltar, todavía más, las cualidades de desarrollo y economía, que apenas percibí en mi visita. Creo y espero que llegue a ser realizada para su justicia.

Por mi parte dejo aquí esta apreciación, cada vez más rara y difícil de sentir y hacer, a la producción de un arquitecto fuera de las modas, por eso mismo trabajando los valores más intemporales y más universales de esta materia que se reconoce y se identifica, siempre, en la permanente modernidad intemporal de las obras emocionantes donde los materiales cantan y el espacio vibra a cada momento del camino.

De Fontenay al ISCTE, y desde mucho antes y mucho después, esperemos que la arquitectura sea siempre el reflejo de los valores que están tan presentes en estas dos obras

Na generalizada mediocridade da produção contemporânea, autodesculpada pela suposta imposição dos valores especulativos e da incultura do cliente, uma obra exemplar, como esta, que reflecte certamente a cultura iluminada do cliente, só seria possível com a atitude de intransigente busca de qualidade em todos os níveis da sua concepção, da elaboração do seu profissionalíssimo projecto e da vivência apaixonada do seu processo de construção.

Mereceria esta obra uma outra critica mais objectiva, quantitativa e desapaixonada pois lhe faria ressaltar, ainda mais, as qualidades de performance e economia, que na minha visita apenas percebi. Acredito e espero que venha a ser feita, para sua justiça.

De mim fica aqui esta apreciação, cada vez mais rara e difícil de sentir e fazer, à produção de um arquitecto fora das modas e, por isso mesmo trabalhando os valores mais intemporais e mais universais desta disciplina que se reconhece e se identifica, sempre, na permanente modernidade intemporal das obras emocionantes onde os materiais cantam e o espaço vibra a cada momento do percurso.

De Fontenay ao ISCTE, e de muito antes a muito depois, esperemos que a arquitectura seja sempre o reflexo dos valores que estão, nestas duas obras, tão presentes.

ISCTE II | ICS 1993 | 2002

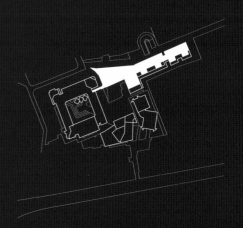

ISCTE II

PISO 3

PISO 2

PISO 1

No processo evolutivo do ISCTE, como instituição autónoma com uma variedade de cursos própria duma Universidade, foi programado o quarto e último edifício, ISCTE II | ICS (Instituto de Ciências Sociais) para permitir o incremento e diversificação das suas actividades, com os meios pedagógicos necessários a uma população escolar e docente em grande crescimento.

Na ausência dum plano para a expansão da instituição, a localização e caracterização de cada edifício do conjunto, incluindo o do ISCTE II | ICS, processou-se em função de programas, áreas de implantação e meios disponíveis, tendo em conta as necessidades da instituição e a época da execução de cada projecto, havendo no entanto conceitos básicos que presidiram à concepção dos edifícios, apoiados na forma construtiva, em que foi dominante a utilização do betão armado aparente.

PISO 0

PISO 7

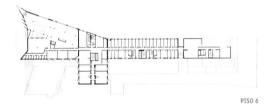

PISO 6

PISO 5

PISO 4

Os principais espaços de quatro dos corpos do edifício, que constituem o ISCTE II (o quinto corpo diz respeito ao ICS), incluem, para além do Átrio central com acessos a vários níveis e de diversas direcções, um Auditório para 500 pessoas, Anfiteatros de 200 e 100 utentes, a Biblioteca Central do ISCTE, Aulas, Gabinetes, Laboratórios e espaços de Informática e Multimédia, zonas para Exposições, Convívio, Refeições, Bar e respectivos serviços.

En el proceso evolutivo del ISCTE, como institución autónoma con una diversidad de carreras propias de una universidad, fue programado el cuarto y último edifico, ISCTE II|ICS (Instituto de Ciencias Sociales) para permitir la expansión y diversificación de sus actividades, con los medios pedagógicos necesarios para una población escolar y docente en gran crecimiento.
En la ausencia de un plan para la expansión de la institución, la localización y caracterización de cada edificio del conjunto, incluyendo el del ISCTE II|ICS, se procesó en función de programas, áreas de implantación y medios disponibles, teniendo en cuenta las necesidades de la institución y

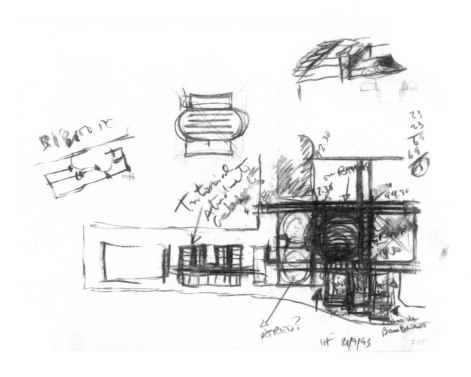

la época de ejecución de cada proyecto, existiendo, sin embargo, conceptos básicos que presidieron la concepción de los edificios, apoyados en el estilo de construcción, en el que predominó la utilización de concreto armado aparente.

Los principales espacios de cuatro cuerpos del edifico, que constituyen el ISCTE II (el quinto cuerpo pertenece al ICS), incluyen además del Atrio central con accesos a varios niveles y en diferentes direcciones, un Auditorio para 500 personas, Anfiteatros de 200 y 100 usuarios, la Biblioteca Central del ISCTE, Salones de clase, Oficinas, Laboratorios y espacios de computación y Multimedia, zonas para Exposiciones, Convivencia, Comidas, Bar y servicios respectivos.

On ISCTE's evolving process, as an autonomous institution with a variety of courses normal to a University, the fourth and last building was programmed, ISCTE II|ICS (Instituto de Ciências Sociais) to allow the activities increase and diversification, with the necessary pedagogical means and a school and teaching population growing highly.

In the absence of a plan to expand the institution, the localization and characterization of each building of the group, including ISCTE II|ICS, was processed accordingly with programs, implantation areas and resources available, taking into account the institution needs and each project's execution time, existing however, basic concepts presiding the

buildings conception, supported on the constructive form, where the apparent reinforced concrete use dominated.

The main spaces of four of the building's bodies, constituting ISCTE II (the fifth body is ICS), include, besides the central lobby wit access to several levels and directions, an Auditorium for 500 persons, Amphitheatres of 200 and 100 users, ISCTE's central library, Classrooms, Offices, Laboratories, Informatics and Multimedia spaces, Exhibition areas, Public spaces, Meals, Snack-Bar and connected services.

La diversidad programática del ISCTE II|ICS se refleja en la variedad de sus espacios, con diferentes escalas y formas de expresión, que fueron asumidos sin prejuicio de la uniformidad formal pretendida.

A diversidade programática do ISCTE II | ICS reflecte-se na variedade dos seus espaços, com diferentes escalas e modos de expressão, que foram assumidos sem prejuízo da uniformidade formal pretendida.

ISCTE II|ICS programme diversity reflects on the variety of its spaces, with different scales and modes of expression, assumed without jeopardizing the desired formal unit.

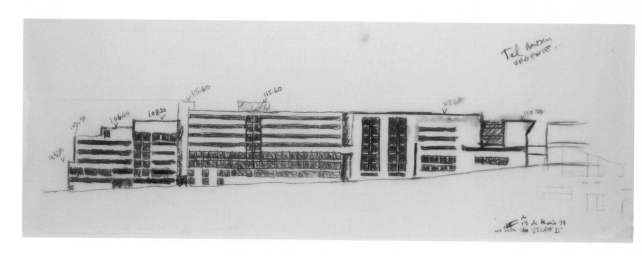

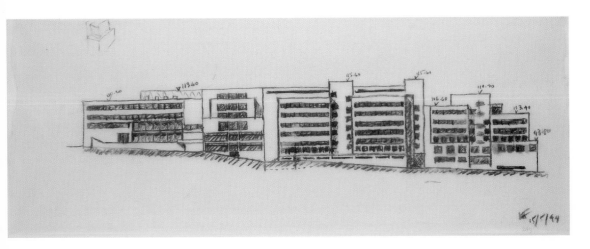

Dada su dimensión y la necesidad de armonizarse con el entorno, el edificio se expresa exteriormente de forma diversificada, según su orientación. Al norte, se asume la importancia de su posicionamiento y visibilidad en un punto elevado del territorio de la Ciudad Universitaria de Lisboa, mientras que la ponente se compatibiliza con el edifico del ISCTE I, garantizando una comunicación a través de un pasadizo en concreto. Por último, al sur, delimita la Plaza Central del ISCTE.

Dada a sua dimensão e a necessidade de se harmonizar com a envolvente, o edifício expressa-se exteriormente de modo diversificado, conforme a sua orientação. A norte, assume a importância do seu posicionamento e visibilidade num ponto elevado do território da Cidade Universitária de Lisboa, enquanto a poente se compatibiliza com o edifício do ISCTE I garantindo uma comunicação através de um Passadiço em betão. Por último, a sul, delimita a Praça Central do ISCTE.

Given its dimension and the need to harmonize with the surroundings, the building expresses itself on the outside in a varied way, according to the orientation. To the north, assumes the importance of its positioning and visibility at a high point of Lisbon University City territory, while to the west is compatible with ISCTE I building guarantying a communication through a concrete bridge. Finally, to the south, delimitates ISCTE's Central Square.

El modelo de construcción corresponde a las características ya adoptadas para todo el conjunto, con la utilización de concreto blanco aparente en interiores y en la parte exterior, donde es complementado por un revestimiento en placas de piedra de lioz (parecido al mármol), que diversifican la apariencia de un edificio con una gran masa volumétrica.

A forma construtiva corresponde às características já adoptadas para todo o conjunto, com a utilização de betão branco aparente em interiores e em parte do exterior, onde é complementado por um revestimento em placas de pedra de lioz, que diversificam a aparência dum edifício com uma grande massa volumétrica.

The constructive form corresponds to the already adopted characteristics for the complex, with the use of apparent white concrete inside and partly outside, where is complemented by a cover of lioz stone elements, diversifying the appearance of a building with a large volume mass.

Com este edifício completa-se o Complexo do ISCTE e concretiza-se também um circuito definido por um longo passeio contínuo, que atravessa todos os volumes do ISCTE, em elevação ou subterraneamente, rodeando ou cruzando a nova Praça Central e o próprio volume do Átrio vertical do novo edifício, em que se fundem vários espaços de circulação, com as suas múltiplas entradas a vários níveis.

Con este edifico se completa el Complejo del ISCTE y se concreta también un circuito definido por un largo paseo continuo, que atraviesa todos los volúmenes del ISCTE, en elevación o subterráneamente, rodeando o cruzando la nueva Plaza Central y el propio volumen del Atrio vertical del nuevo edificio, en que se funden varios espacios de circulación, con sus múltiples entradas de varios niveles.

With this building the ISCTE's complex is complete and a circuit is also accomplished, defined by a long continuous walk, crossing all ISCTE's volume, in elevation or subterraneous, surrounding or crossing the new central square and the volume of the vertical lobby in the new building, where several circulation spaces blend, with their multiple entrances at several levels.

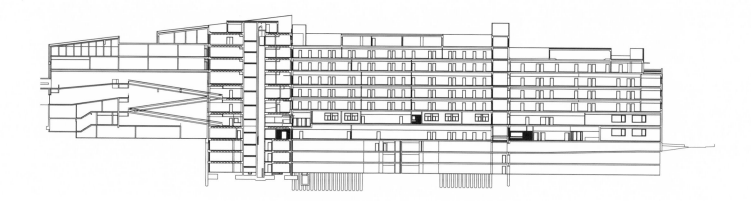

El Atrio, Circulaciones, Auditorio y
Anfiteatros del ISCTE II

El atrio central del ISCTE II, se encuentra en comunicación directa con la
"galería – pasadizo" que conecta con el
piso térreo de la entrada del ISCTE I,
pero que debido al desnivel del terreno
y a la estructuración de este edifico, se
sitúa cuatro pisos por encima de su piso
principal.

O Átrio, Circulações, Auditório e Anfiteatros do ISCTE II

O Átrio central do ISCTE II, encontra-se em comunicação directa com
a "galeria – passadiço" de ligação ao piso térreo da entrada do ISCTE I,
mas que, dado o desnível do terreno e a estruturação deste edifício, se
situa quatro pisos acima do seu pavimento principal.

ISCTE II's Lobby, Circulations, Auditorium and Amphitheatres

ISCTE II central lobby, communicates
directly with the "gallery – bridge" connecting to ISCTE I entrance ground floor,
but, due to the slopping of the ground
and building's structure, is located four
floors above the main pavement.

Trata-se de um espaço com uma forte dominante vertical que reflecte a complexidade e a geometria geral do edifício, por um lado fortemente vinculado ao movimento das rampas e por outro marcado pela luz de sul, filtrada por aberturas situadas nos pisos superiores. A complexidade e ambiguidade deste espaço é ainda servida pelas inúmeras entradas do exterior, processadas a vários níveis e de várias direcções, uma delas a poente sob o passadiço, outra a partir da Praça Central, a sul, e a principal, desde a Av. Prof. Anibal Bettencourt, do lado norte. Acrescendo a essa ambiguidade, o limite superior do espaço, pintado de azul, sobre o qual ainda existem dois pisos da biblioteca do ISCTE, quando visto dos pisos inferiores, sugere o céu.

Se trata de un espacio con una dominante vertical fuerte que refleja la complejidad y la geometria general del edifico, por un lado fuertemente relacionada con el movimiento de las rampas y por otro lado marcado por la luz del sur, filtrada por aberturas situadas en los pisos superiores. La complejidad y ambigüedad de este espacio es todavía servida por las innumerables entradas del exterior, procesadas en varios niveles y en varias direcciones, una de ellas, la ponente sobre el pasadizo, otra a partir de la Plaza Central, al sur, es la principal, desde la Av. Prof. Anibal Bettencourt, del lado norte. Adicionando a esa ambigüedad, el límite superior del espacio, pintado de azul, sobre el cual todavía existen dos pisos de la biblioteca del ISCTE, cuando visto de los pisos inferiores, sugiere el cielo.

It is a space with a strong vertical dominance reflecting the building's general complexity and geometry, on one hand strongly connected to the ramps movement and on the other hand marked by the south light, filtered through apertures located on the upper floors. The complexity and ambiguity of this space is also served by the inumerous entrances from outside, processed at several levels and directions, one of them to the west, under the bridge, another from central square, south, and the most important, from Av. Prof. Anibal Bettencourt, north. Adding to that ambiguity, the space upper limit, painted in blue, above which there are still two ISCTE's library floors, when observed from the lower floors, suggest the sky.

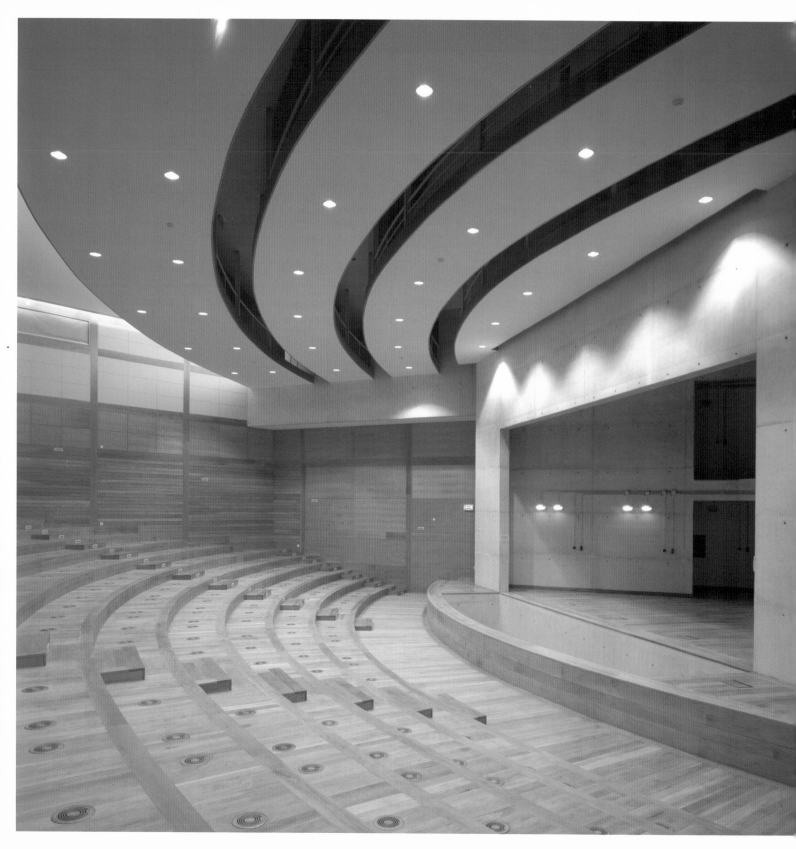

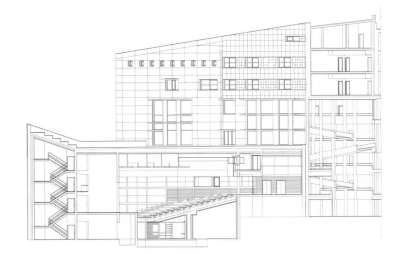

Os percursos que conduzem aos diversos espaços podem utilizar as rampas, também elas, como na Ala Autónoma, definidas como corredores inclinados, as escadas, ou ainda, para mais comodamente vencer a altura do átrio, os elevadores próximos. Vindo do ISCTE I, o primeiro contacto com este espaço processa-se na proximidade da Biblioteca e, no piso inferior, com um conjunto de salas de aula, sob as quais existem dois pisos de anfiteatros, situando-se no seu nível mais baixo, que é o da Entrada a norte, o Auditório principal do ISCTE, com cerca de 500 lugares.

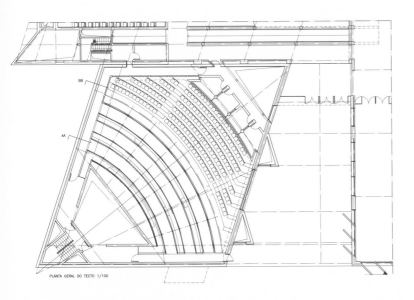

PLANTA GERAL DO TECTO 1/100

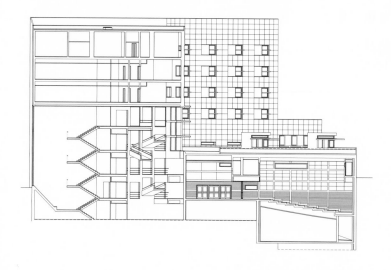

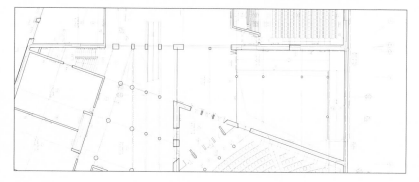

Los caminos que conducen a los diversos espacios pueden utilizar las rampas, también ellas, como en la Ala Autónoma, definidas como corredores inclinados, las escaleras, o todavía, para vencer más cómodamente la altura del atrio, los ascensores próximos. Viniendo del ISCTE I, el primer contacto con este espacio se procesa en la proximidad de la Biblioteca y, en el piso inferior, con un conjunto de salones de clase, bajo los cuales existen dos pisos de anfiteatros, situándose en el nivel mas bajo, que es el de la Entrada al norte, el Auditorio principal del ISCTE, con cerca de 500 puestos.

The paths leading to several spaces can use the ramps, they also, like the Autonomous Wing, defined as inclined corridors, the stairs, or still, to win comfortably the lobby's height, the lifts nearby.
Coming from ISCTE I, the first contact with this space happens near the library and, on the lower floor, with a group of classrooms, underneath which are two floors with amphitheatres and located on its lowest level, the north entrance, is ISCTE's main auditorium, with around 500 seats.

Todos os espaços descritos, e também os núcleos de aulas a sul, e dos gabinetes num corpo a nascente, estão em ligação com o Átrio mas dum modo diferenciado, directa ou indirectamente relacionados com o traçado das rampas, varandins e corredores. O piso da Entrada, do qual se acede ao grande Auditório e a outros dois menores, é também o do términus inferior das rampas, dispondo logicamente de uma área de pavimento mais ampla, que tem continuidade, através de uma nova rampa, ao espaço de exposições, situado ao nível inferior deste átrio vertical.

Todos los espacios descritos, y también los núcleos de salones de clase al sur, y dos oficinas en un cuerpo en la naciente, están conectados al Atrio pero de una forma diferenciada, directa o indirectamente relacionados con el trazado de las rampas, balcones estrechos y pasillos. El piso de la Entrada, del cual se accede al gran Auditorio y a otros dos menores, es también el del término inferior de las rampas, disponiendo lógicamente de una área de pavimento más amplia, que tiene continuidad, a través de una nueva rampa, hasta el espacio de exposiciones, situado en el inferior de este atrio vertical.

All the spaces described, and also the classrooms nuclei to the south, and the offices on a body to east, are connected with the lobby, but in a differentiated way, directly or indirectly related with ramps, balconies and corridors. The entrance floor, from where we access the auditorium and to other smaller two, is also the ramps' lower end, having therefore a larger pavement area, with continuity, through a new ramp, to the exhibitions space, located at the lower level of this vertical lobby.

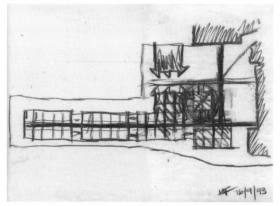

Nos pisos superiores do átrio, a sul e na proximidade da Praça Central, encontram-se as zonas de restauração em dois pisos, destinados às refeições de professores e estudantes mas também ao apoio dos visitantes que frequentem os espaços dos auditórios, exposições ou outros.

Poder-se-á com propriedade dizer que este conjunto de espaços ligados ao átrio, é o coração do ISCTE II, com a sua diversidade espacial, o seu movimento e a sua luz.

En los pisos superiores al atrio, al sur y cercanas a la Plaza Central, se encuentran las zonas de restauración en dos pisos, destinados a las comidas de profesores y estudiantes pero también al apoyo de los visitantes que visiten los espacios de los auditorios, exposiciones y otros.

Se podrá decir con propiedad que este conjunto de espacios conectados al atrio, es el corazón del ISCTE II, con su diversidad espacial, su movimiento y su luz.

On the lobby's upper floors, to the south and near the central square, are located the meals areas on two floors, for teaching staff and students meals but also to the visitors support, when coming to the auditoriums, exhibitions or other spaces.

It could be said certainly that, this group of spaces connected to the lobby, is ISCTE II's heart, with its spatial diversity, its movement and its light.

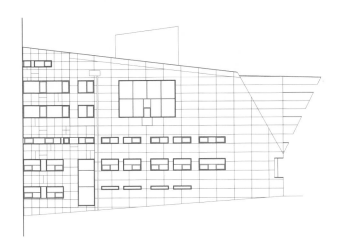

A Biblioteca Central do ISCTE

Pretendeu-se que a Biblioteca Central do ISCTE se localizasse junto ao centro da instituição, com a sua entrada situada no piso que sempre foi, desde o início, o mais percorrido de todos.

Como já foi referido, o tecto do átrio com a cor do céu situa-se neste piso, embora a biblioteca disponha ainda de dois pisos superiores, não detectáveis do átrio e apenas descobertos quando, no interior da Biblioteca, se transpõe o volume que oculta as escadas de acesso aos pisos superiores, escada essa que ganha especial relevância quando a percorremos, sob a luz natural de uma grande abertura superior.

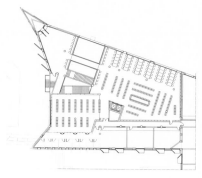

BIBL. 3 (PISO 6)

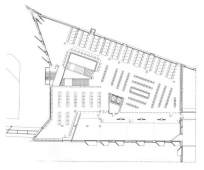

BIBL. 2 (PISO 5)

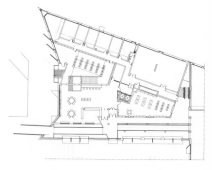

BIBL. 1 (PISO 4)

Assim, o espaço inferior, compartimentado em várias zonas, tem em conta a sua funcionalidade para recepção dos utentes, para a exposição de publicações recentes ou tematicamente oportunas ou para conceder fácil acesso às áreas de direcção e administração.

La Biblioteca Central del ISCTE

Se pretendió que la Biblioteca Central del ISCTE se localizara cerca del centro de la institución, con su entrada situada en el piso que siempre fue, desde el inicio, el más recorrido de todos.

Como ya se mencionó, el techo del atrio con el color del cielo se sitúa en este piso, aunque la biblioteca disponga todavía de dos pisos superiores, no visibles desde el atrio y apenas descubiertos, cuando en el interior de la Biblioteca se transpone el volumen que oculta las escaleras de acceso a los pisos superiores, escalera que gana especial relevancia cuando la recorremos, bajo la luz natural de una gran abertura superior.

De esta forma, el espacio inferior, dividido en varias zonas, toma en cuenta su funcionalidad para la recepción de los usuarios, para la exposición de publicaciones recientes o temáticamente oportunas, o para conceder fácil acceso a las áreas de dirección y de administración.

ISCTE's Central Library

It was intended that the ISCTE central library would be located near the institution centre, with the entrance placed on the floor that always was, since the beginning, the most walked through of them all.

As already mentioned, the lobby's roof with a sky colour is located on this floor, though the library has two more upper floors, not detectable from the lobby and only discovered when, inside the library, you pass the volume hiding the access staircase to the upper floors, and that staircase gains a special relevance when we cross it, under natural light coming from a large upper opening.

Therefore, the lower space, fragmented in several areas, takes into account its functionality to receive users, to exhibit recent publications or thematically adequate or to give easy access to direction and administration areas

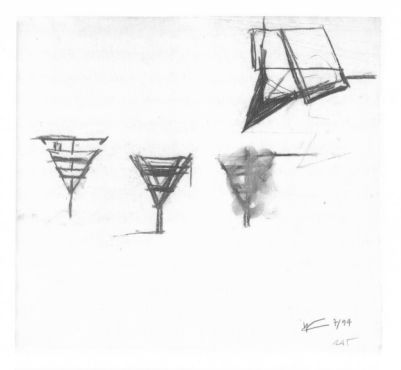

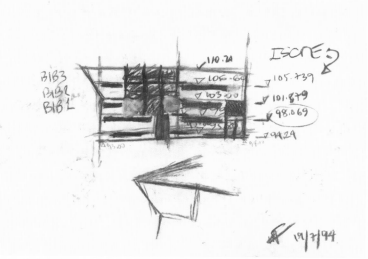

Los espacios superiores, están destinados para la consulta y lectura de la documentación, con una distribución lógica de los estantes en el interior del espacio y en las zonas de lectura junto a los huecos exteriores, normalmente situados al norte o cerca del pozo de luz natural, con luz más caliente, del sur.

En estos dos pisos se localizan también, del lado sur, salas de lectura y estudio en grupo bien dimensionadas, además de pequeños espacios individuales para quien realice trabajos de investigación.

Os espaços superiores, por sua vez, estão orientados para a consulta e leitura da documentação, distribuindo-se logicamente as estantes no interior do espaço e as zonas de leitura junto aos vãos exteriores, normalmente situados a norte ou na proximidade do poço de luz natural, com luz mais quente, do sul.

Nestes dois pisos localizam-se também, do lado sul, bem dimensionadas salas de leitura e estudo em grupo, para além de pequenos espaços individuais para quem realize trabalhos de investigação.

The upper spaces, in turn, are oriented to consult and documentation reading, bookshelves are distributed with logic inside the space and the reading areas near the outer bays, normally located to the north or near the natural light well, with warmer light, from south.

On these two levels are also located, on the south side, well dimensioned reading and group study rooms, besides small individual spaces to do investigation work.

Os Corpos de Aulas e Gabinetes do ISCTE II

Em estreita ligação com o átrio, superiormente aos espaços de restauração mas distribuídos por vários pisos, situam-se os espaços das aulas teóricas orientados a nascente e poente, acessíveis a partir de uma circulação central.

E, conforme já referimos, a nascente do átrio central localiza-se um corpo que, nos pisos inferiores, contem diversas zonas de informática e laboratórios, enquanto nos superiores se situam os gabinetes do corpo docente, numa distribuição linear que alterna com pequenos espaços, alguns com pé direito duplo, destinados a encontros ou reuniões informais dos docentes, eventualmente com visitantes. Estes gabinetes, padronisados e distribuídos por vários pisos, destinam-se, conforme a sua dimensão, a um, dois ou mais docentes.

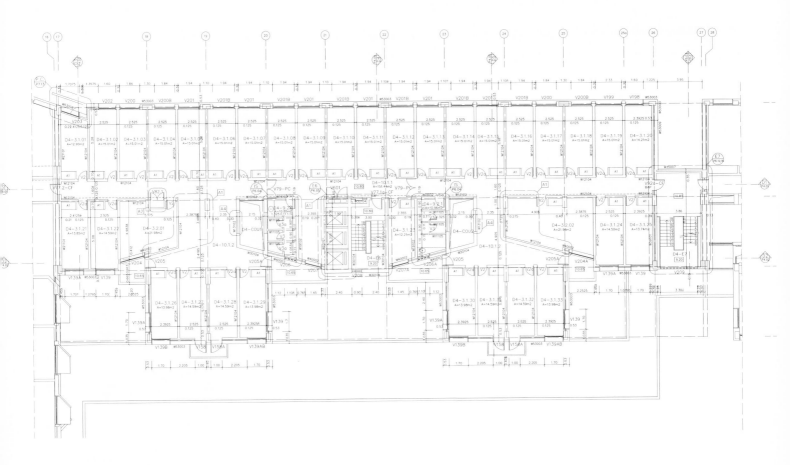

Los Cuerpos de los Salones de Clase y Oficinas del ISCTE II

En Estrecha Conexión con el atrio, superiormente a los espacios de restauración, pero distribuidos por varios pisos, se sitúan los espacios de los salones de clases teóricas orientados hacia la naciente y ponente, accesibles a partir de una circulación central.

Y, como ya se refirió, en la naciente del atrio central se localiza un cuerpo que, en los pisos inferiores, tiene diversas zonas de computación y laboratorios, mientras que en los superiores tiene las oficinas del cuerpo docente, en una distribución linear que alterna con pequeños espacios, algunos con altura doble, destinados a encuentros o reuniones informales de los docentes, eventualmente con visitantes. Estas oficinas, estandarizadas y distribuidas por varios pisos, se destinan, según su dimensión, a uno, dos o más docentes.

ISCTE II's Classrooms and Offices Bodies

In strict connection with the lobby, above the meals spaces but distributed along several floors, are the theory classrooms spaces oriented to the east and west, accessible from a central circulation.

And, as mentioned earlier, to the central lobby east is a group that, on lower floors, has several informatics and laboratories areas, while on the upper floors are the teaching staff offices, on a lineardistribution alternating with small seating spaces, some with a double ceiling, for teaching staff encounters or informal meetings, eventually with visitors. These offices, standardised and distributed along several floors, are destined, according to their dimension, to one, two or more teachers.

ICS
Instituto de Ciências Sociais

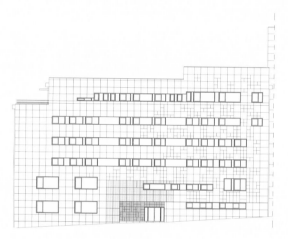

En el extremo naciente de este edifico, con acceso del lado norte a partir de la Av. Prof. Aníbal Bettencourt esta situado, en un cuerpo separado, el Instituto de Ciencias Sociales (ICS) que posee en este edifico, pero con total autonomía, sus instalaciones definitivas, integrando todos los espacios necesarios al funcionamiento de la institución, dedicada en primer lugar a la investigación en el dominio de las ciencias sociales, pero también a la educación, en cursos de post-graduación y otras actividades complementarias.

Para dicha finalidad, el edifico incluye espacios diversos, de Recepción, Administración, Auditorio, Salones de clase y Seminarios, Biblioteca, Oficinas, Salas de Convivencia y Comidas, entre otros.

No extremo nascente deste edifício, com acesso do lado norte a partir da Av. Prof. Anibal Bettencourt, situa-se num corpo separado, o Instituto de Ciências Sociais (ICS), que possui neste edifício, mas com total autonomia, as suas instalações definitivas, integrando todos os espaços necessários ao funcionamento da instituição, dedicada em primeiro lugar à investigação no domínio das ciências sociais, mas também ao ensino, em cursos de pós-graduação e outras actividades complementares.
Para essa finalidade, o edifício inclui espaços diversificados, de Recepção, Administração, Auditório, Salas de Aula e Seminários, Biblioteca, Gabinetes, Salas de Convívio e Refeições, entre outros.

On this building extreme east, with access from the north side from Av. Prof. Aníbal Bettencourt, there is a separate body, the *Instituto de Ciências Sociais* (ICS), that has here, with total autonomy, its definitive installations, integrating all spaces necessary for the institution functioning, dedicated in first place to investigation on the domain of social sciences, but also to teaching, in post graduation and other complementary activities.
For that purpose, the building includes diversified spaces, reception, administration, auditorium, classrooms and seminar rooms, library, offices, public spaces and meals spaces among others.

O Átrio, Aulas e Auditório do ICS

De acordo com a definição programática das actividades deste edifício, os pisos inferiores concentram as actividades abertas ao exterior, enquanto os pisos superiores se destinam basicamente às actividades internas de estudo e investigação.

Nesse sentido o Átrio do edifício assume uma grande importância pela função que tem, de acolhimento, garantindo o directo acesso aos espaços de maior utilização por estudantes e visitantes, que são o Auditório, as salas de aula e de seminários e um espaço de convívio e bar. Do mesmo modo a ligação ao piso superior, onde se situa a Biblioteca e os espaços de Directivos e Administrativos é de particular relevância, tal como a configuração e posicionamento da escada de acesso.

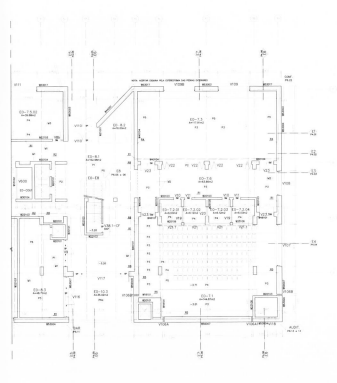

El Atrio, Salones de Clase y Auditorio del ICS

De acuerdo con la definición programática de las actividades de este edificio, los pisos inferiores concentran las actividades abiertas al exterior, mientras que los pisos superiores se destinan básicamente a las actividades internas de estudio e investigación.

En ese sentido el atrio del edificio asume una gran importancia por la función que tiene, de acogimiento, garantizando el acceso directo a los espacios de mayor utilización por estudiantes y visitantes, que son el Auditorio, los salones de clase y seminarios, y un espacio de convivencia y el bar. De la misma forma la conexión al piso superior, donde se sitúa la Biblioteca y los espacios de Directivos y Administrativos es de particular relevancia, tal como la configuración y posicionamiento de la escalera de acceso.

ICS's Lobby, Classrooms and Auditorium

According to the program definition of this building activities, the lower floors concentrate the activities open to the outside, while the upper floors are basically for internal activities of study and investigation.

In that sense the building's lobby has a great importance due to the function it holds, welcoming, guarantying direct access to spaces more used by students and visitors, the auditorium, classrooms and seminar rooms and a public space and a bar. In the same way, the connection with the upper floor, where is the library and the directive and administrative spaces, is especially relevant, as is the configuration and positioning of the access staircase.

O Auditório está em estreita ligação com o Átrio, bem como a sala de seminários que lhe é frontal, sendo particularmente cuidado na sua conformação e nos materiais que o contituíram, dispondo de um vão que permite o contacto visual com o exterior, paisagisticamente tratado, tendo por fundo uma cortina de árvores.

El auditorio está en estrecha conexión
con el Atrio, y con la sala de seminarios
que le es frontal, habiendo sido particularmente cuidado en su configuración y
en los materiales que los constituyeron,
disponiendo de una abertura que permite
el contacto visual con el exterior, tratado paisagisticamente, teniendo por fondo una cortina de árboles.

The auditorium is in strict connection
with the lobby, as well as the seminars
room in front, its shape and the materials
used were a matter especially cared. It
has a bay allowing visual contact with
the outside, of treated landscape, with a
trees curtain.

A Biblioteca do ICS

A definição do acesso e estrutura espacial da Biblioteca do ICS, que se situa no piso superior à Entrada, foi objecto de tratamento particular, como um dos espaços chave que é de todo o edifício, pretendendo-se que o seu ambiente se harmonizasse com os objectivos propostos.

La Biblioteca del ICS

La definición del acceso y estructura espacial de la Biblioteca del ICS, situada
en el piso superior a la Entrada, fue objeto de un tratamiento particular, como
uno de los espacios claves que es el edificio, pretendiéndose que su ambiente
estuviera en armonía con los objetivos
propuestos.

ICS's Library

The definition of access and spatial
structure of ICS's library, that is located on the floor above the entrance, was
the object of special treatment, as one
of the key spaces of all the building, with
the intention that its environment would
harmonize with the objectives proposed.

Assim, o espaço de entrada da biblioteca, com um balcão lateral de recepção, tem um vista frontal sobre um espaço de estar e leitura informal, que antecede uma mesa circular para estudo e leitura com uma vista directa para o exterior. Estruturando este espaço dos dois lados existem estantes e mesas de leitura, à escala do número de visitantes e consultas previsíveis, havendo ainda pequenas salas para publicações periódicas e outras funções.

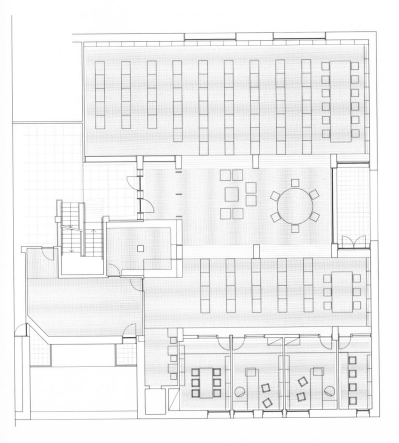

De esta forma, el espacio de entrada a la biblioteca, con un balcón lateral de recepción,
tiene una vista frontal sobre un salón de estar y de lectura informal, que antecede a una mesa circular para estudio y lectura con una vista directa para el exterior. Estructurando este espacio, de los dos lados existen estantes y mesas de lectura, en proporción al número de visitantes y consultas previsibles, existiendo todavía pequeñas salas para publicaciones periódicas y otras funciones.

Therefore, the library entrance space, with a reception side desk, has a central view over a public and informal reading space, preceding a circular study table for study and reading with a direct view for outside. Structuring the space from both sides are bookshelves and reading tables, scaled for the number of predictable visitors and users, and there are also small rooms for periodic publications and other functions.

Gabinetes e Sala de Convívio do ICS

Conforme referido, os pisos superiores destinam-se a gabinetes e salas de estudo e investigação, destinadas a uma ou mais pessoas, conforme os objectivos e dimensões da organização dos trabalhos em curso. A distribuição linear dos gabinetes é quebrada pela existência de pequenos espaços de encontro e reunião.

No último piso do ICS, para além dos gabinetes previstos, foi localizado um espaço de convívio preparado para refeições ocasionais, com apoio de cozinha, que beneficia de um terraço que deversifica o espaço interior.

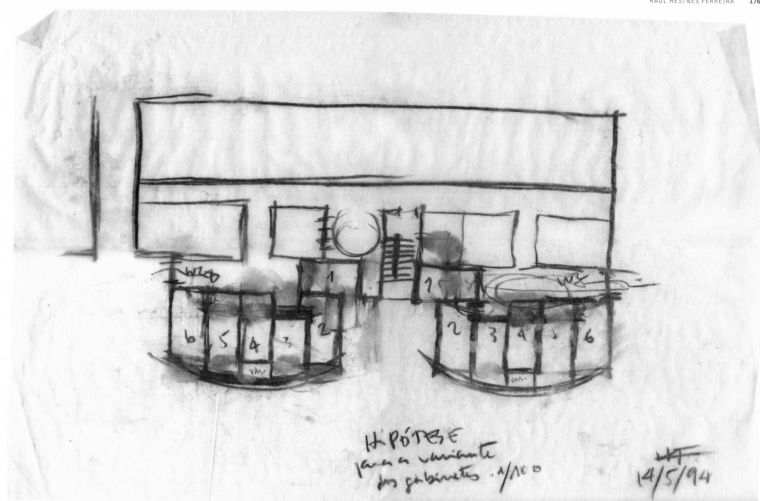

HIPÓTESE
para a variante
dos gabinetes . 1/100

14/5/94

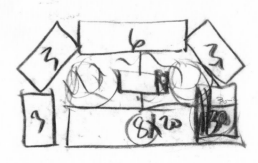

Oficinas y Sala de Convivencia del ICS

Como mencionado, los pisos superiores se destinan a oficinas y salas de estudio e investigación, para una o más personas, en función de los objetivos y dimensiones de la organización y de los trabajos en curso. La distribución linear de las oficinas es interrumpida por la existencia de espacios de encuentro y reunión.

En el último piso del ICS, además de las oficinas previstas, se colocó un espacio de convivencia preparado para comidas ocasionales, con apoyo de cocina, que se beneficia de una terraza que diversifica el espacio interior.

ICS's Offices and Meeting Room

As previously mentioned, the upper floors are for offices, studying and investigation rooms, for one or more persons, according to the organization's works in progress objectives and dimensions. The offices linear distribution is broken by the existence of small spaces of encounter and meeting.

On ICS highest floor, besides the predicted offices, there is a public space for occasional meals, with kitchen support, with a terrace which diversifies the outside space.

Praça Central

Plaza Central
Central Square

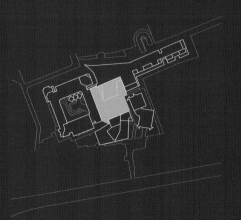

Com o edifício do ISCTE II | ICS completou-se o Complexo do ISCTE, definindo-se um espaço livre central que, conforme referimos, foi sendo configurado pelos corpos que nele convergiram ao longo do crescimento da instituição, surgindo no final como a Praça Central do ISCTE, lugar geográfico e ponto de encontro e de convívio ao ar livre.

Con el edificio del ISCTE II|ICS se completó el Complejo del ISCTE, definiéndose un espacio libre central que, como mencionamos, fue siendo configurado por los cuerpos que en él convergieron a lo largo del crecimiento de la institución, resultando al final como una Plaza Central del ISCTE, lugar geográfico, punto de encuentro y de convivencia al aire libre.

With the building ISCTE II|ICS ISCTE's the complex was completed, with a central free space definition which, as we suggested, was configured by the bodies that converged there during the institution's growth, and finally it emerged as ISCTE's central square, a geographical place and an open air meeting and leisure point.

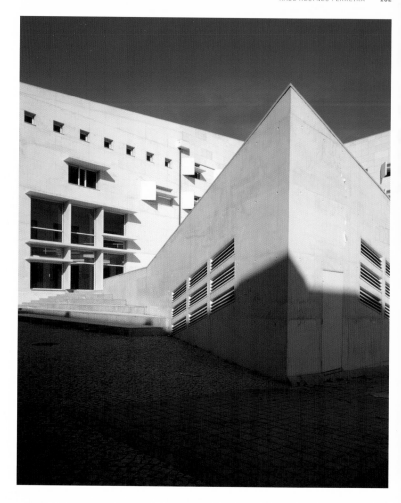

A Praça Central do ISCTE encontra-se ladeada pelos vários edifícios do conjunto, desde o alçado nascente do ISCTE I que, afinal, veio a definir o seu alinhamento, até ao alçado norte da Ala Autónoma, com as grandes aberturas que permitem a sua visualização desde o percurso das rampas, ao alçado poente do corpo prismático norte, do INDEG e até, por último, à fachada sul do ISCTE II, em que a cobertura do Auditório principal se transformou num terraço onde se situará uma esplanada.

La Plaza Central del ISCTE se encuentra ladeada por los diferentes edificios del conjunto, desde el alzado naciente del ISCTE I que, finalmente vino a definir su alineamiento, hasta el alzado norte de la Ala Autónoma, con las grandes aberturas que permiten su visualización desde el recorrido de las rampas hasta el alzado ponente del cuerpo prismático norte, del INDEG; y por último hasta la fachada sur del ISCTE II, en la que la cobertura del Auditorio principal se transformó en un espacio donde se localizará la terraza principal.

Se acentúa la singularidad de la ausencia de un Plano director que orientara el crecimiento de esta institución, cuya evolución fue desde el inicio y en cada una das fases de su expansión, desconocida, ignorándose la importancia que vendría a adquirir en el ámbito de la educación universitaria de nuestro país. Sin embargo, esto no impidió, que este espacio exterior se concretara de una forma armónica según el alineamiento inicialmente definido por el ISCTE I, y posteriormente seguido por los restantes edificios.

De esta forma, un espacio que podaría haber sido generador del crecimiento del Complejo, terminó por ser por él originado...

ISCTE's central square is surrounded by the several buildings of the complex, from ISCTE I east front, that after all, defined its alignment, until the autonomous wing north façade, with the large openings allowing its visualization from the ramps path, to the west façade of the north prismatic body of the INDEG up to, at last, ISCTE II's south front, where the main auditorium was transformed into a rooftop where a esplanade will be located.

The absence of a Director Plan singularity orientating this institution's growth is stressed, whose evolution was since the beginning and at each one of its expansion phases, unknown, ignoring what importance would acquire in the context of our country's higher education. Such situation did not avoid, however, that this outside space would be constructed on a harmonious mode, according to the alignment initially defined by ISCTE I and alter followed by the other buildings.

Therefore, a space that could have been a complex's growth generator, was instead generated by him...

Acentue-se a singularidade da ausência dum Plano director que orien-
tasse o crescimento desta instituição, cuja evolução foi desde o início
e em cada uma das fases da sua expansão, desconhecida, ignorando-se
qual a importância que viria a adquirir no contexto do ensino universitário do nosso país. Tal não impediu, no entanto, que este espaço exterior se concretizasse dum modo harmónico, segundo o alinhamento
inicialmente definido pelo ISCTE I e posteriormente seguido pelos restantes edifícios.

Assim, um espaço que poderia ter sido gerador do crescimento do Complexo, acabou por ser por ele gerado...

Nessa perspectiva, não nos podemos alhear de alguns factores que pre-
sidiram à concepção final desta Praça, um dos quais dirá respeito à importância sempre atribuída à relação "espaço livre – espaço edificado", já
consubstanciada na estrutura espacial do primeiro edifício, o do ISCTE I,
em que a relação do espaço – anfiteatro central ao ar livre, com a envolvente construída, definia já a importância que lhe era atribuída.

En esa perspectiva, no nos podemos ena-
jenar de algunos factores que presidieron
la concepción final de esta Plaza, uno de
los cuales se refiere a la importancia
siempre otorgada a la relación "espacio
libre – espacio edificado", ya incluida en
la estructura inicial del primer edifico,
el ISCTE I, en el que la relación espacio
– anfiteatro central al aire libre, con la
construcción predominante, definía ya la
importancia que le era otorgada.

On that perspective, we cannot forget
some of the factors presiding this square
final conception, one of which will relate
to the importance always attributed to
the relation "free space-built space", already consubstantiated in the first building spatial structure, ISCTE I, where the
relation of the space - open air central
amphitheatre – with the surrounding
constructions, defined the importance
attributed to it.

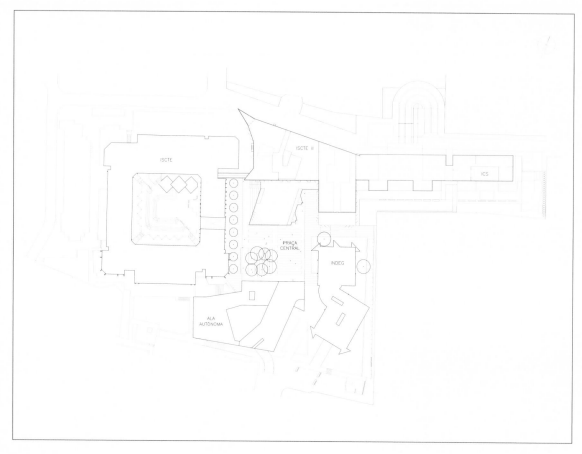

La propia preservación de un prado existente al sur del ISCTE I, y a la ponente de la Ala Autónoma, reforzaba el criterio de hacer alternar el espacio libre con el espacio edificado, sin prejuicio de la estructuración de este último. Sin embargo, se acentúa que la disciplina del diseño presente en la estructuración de la Ala Autónoma y del INDEG, sin poner en riesgo la autonomía conceptual de estos edificios permitió, que casi inconscientemente, se valorizaran el espacio exterior central del Complejo que se iba definiendo poco a poco.

Fue sin embargo, el último edificio del ISCTE II|ICS que inesperadamente vino a permitir la consolidación, al final de cerca de 25 anos, de un espacio central que raramente existe en las áreas universitarias de nuestro país.

The preservation of an existing lawn on ISCTE's south side and to east of the autonomous wing, reinforced the criteria of alternating free space with built space, without jeopardizing the structuration of the latter.

It has to be emphasized, however, that the design discipline present at the autonomous wing and INDEG structuration, without jeopardizing these buildings conceptual autonomy, allowed that almost unconsciously, to value the complex central outside space, that little by little was being defined.

However, it was the last building, ISCTE II|ICS that, unexpectedly, allowed the consolidation, after around 25 years, of a central space rarely existent on the university areas of our country.

A própria preservação dum prado existente a sul do ISCTE I e a poente da Ala Autónoma, reforçava o critério de fazer alternar o espaço livre com o espaço edificado, sem prejuízo da estruturação deste último. Acentue-se no entanto que a disciplina de desenho presente na estruturação da Ala Autónoma e do INDEG, sem pôr em causa a autonomia conceptual destes edifícios, permitiu que, quási inconscientemente, se valorizasse o espaço exterior central do Complexo que a pouco e pouco se ía definindo.

Foi no entanto o último edifício, do ISCTE II | ICS que, inesperadamente, veio permitir a consolidação, ao fim de cerca de 25 anos, dum espaço central que é raro existir nas áreas universitárias do nosso país.

Fichas técnicas de projectos e obras · Complexo ISCTE 1976|2005
Fichas técnicas de proyectos y obras · Complejo del ISCTE
Technical Data of Projects and Works · ISCTE Complex

ISCTE I · Edifício Inicial 1976|78
Edifício Inicial
Initial Build

Propriedade Propiedad Property : **ISCTE**
Projecto e Obra Proyecto y Obra Project and work : **1976|78**

FICHA TÉCNICA FICHA TÉCNICA TECHNICAL DATA

Coordenação Coordinatión Coordination
Raúl Hestnes Ferreira (DGCE)

Autores Autores Authors
Raúl Hestnes Ferreira e Rodrigo Rau

Arquitectura Arquitectura Architecture
**Raúl Hestnes Ferreira, Rodrigo Rau, José Botas e
Mário Martins**

Estrutura Estructura Structure
Mário Marques e Teixeira Trigo (consultor painéis betão)

Instalações Eléctricas Instalaciones Eléctricas Electricity
Mário Andrade

Paisagismo Paisajismo Landscaping
Leonel Fadigas

Construção (1ª Fase) Construcción (1ª Etapa) Construction (1ª Phase)
TOJAL

ISCTE I · Pavilhão Esplanada 1987|94
Pabellón Terraza
Terrace Pavillion

Propriedade Propiedad Property : **ISCTE**
Projecto e Obra Proyecto y Obra Project and work : **1987|94**

FICHA TÉCNICA FICHA TÉCNICA TECHNICAL DATA

Coordenação Coordinatión Coordination
Raúl Hestnes Ferreira

Autor Autor Author
Raúl Hestnes Ferreira

Arquitectura Arquitectura Architecture
Raúl Hestnes Ferreira e Fillipa Vedes

Estrutura Estructura Structure
Santos Lopes

Instalações Eléctricas Instalaciones Eléctricas Electricity
Ruben Sobral

Fiscalização Fiscalización Construction Manager
Mariano Alves

Construção Construcción Construction
José António Dias

ISCTE I · Cave do Corpo Sul 1992|94
Sótano del Cuerpo Sur
South Body Basement

Propriedade Propiedad Property : **ISCTE**
Projecto e Obra Proyecto y Obra Project and work : **1992|94**

FICHA TÉCNICA FICHA TÉCNICA TECHNICAL DATA

Coordenação Coordinatión Coordination
Raúl Hestnes Ferreira

Autor Autor Author
Raúl Hestnes Ferreira

Arquitectura Arquitectura Architecture
**Raúl Hestnes Ferreira, Sofia Guerreiro e
Pedro Ressano Garcia**

Estrutura Estructura Structure
Teixeira Trigo

Instalações Eléctricas Instalaciones Eléctricas Electricity
Ruben Sobral

Instalações Mecânicas Instalaciones Mecanicas Mechanical Systems
José Nobre (Gabinete Vieira Pinto)

Águas e Esgotos Aguas y Alcantarillas Fluids Network
Mariano Alves

Fiscalização Fiscalización Construction Manager
PENGEST

Construção Construcción Construction
SOTENCIL

Ala Autónoma do ISCTE   1989|95
Ala Autónoma
Autonomous Wing

Propriedade | Propiedad | Property : **ISCTE**
Projecto e Obra | Proyecto y Obra | Project and work : **1989|95**

FICHA TÉCNICA FICHA TÉCNICA TECHNICAL DATA

Coordenação | Coordinatión | Coordination
Raúl Hestnes Ferreira

Autor | Autor | Author
Raúl Hestnes Ferreira

Arquitectura | Arquitectura | Architecture
**Raúl Hestnes Ferreira, Bernando Miranda, Sofia
Guerreiro, Olivier Pourbaix, Paulo Barbosa, Pedro
Ressano Garcia, Jaime Pereira, Joaquim Francisco,
Carlos Siva e Luis Castanheira**

Medições | Mediciones | Quantity Surveyor
Carlos Pinto

Estrutura | Estructura | Structure
Gabinete Teixeira Trigo

Instalações Eléctricas | Instalaciones Eléctricas | Electricity
Ruben Sobral

Instalações Mecânicas | Instalaciones Mecanicas | Mechanical Systems
José Nobre (Gabinete Vieira Pinto)

Águas e Esgotos | Aguas y Alcantarillas | Fluids Network
Mariano Alves

Isolamento Térmico | Aislamiento Térmico | Termical Project
Licínio de Carvalho

Paisagismo | Paisajismo | Landscaping
João Gomes da Silva

Fiscalização | Fiscalización | Construction Manager
PENGEST

Construção | Construcción | Construction
CONSTRUTORA ABRANTINA

INDEG | ISCTE 1991|95

Propriedade Propiedad Property : ISCTE
Projecto e Obra Proyecto y Obra Project and work : 1991|95

FICHA TÉCNICA FICHA TÉCNICA TECHNICAL DATA

Coordenação Coordinatión Coordination
Raúl Hestnes Ferreira

Autor Autor Author
Raúl Hestnes Ferreira

Arquitectura Arquitectura Architecture
Raúl Hestnes Ferreira, Manuel Miranda, Jorge Gouveia, Helena Lamy, Bernardo Miranda, Olivier Pourbaix, Pedro Ressano Garcia

Medições Mediciones Quantity Surveyor
Carlos Pinto

Estrutura Estructura Structure
João Garcia (Gabinete Teixeira Trigo)

Instalações Eléctricas Instalaciones Eléctricas Electricity
Ruben Sobral

Instalações Mecânicas Instalaciones Mecanicas Mechanical Systems
José Nobre (Gabinete Vieira Pinto)

Águas e Esgotos Aguas y Alcantarillas Fluids Network
Mariano Alves

Isolamento Térmico Aislamiento Térmico Termical Project
Licínio de Carvalho

Paisagismo Paisajismo Landscaping
João Gomes da Silva

Fiscalização Fiscalización Construction Manager
Myre Dores

Construção Construcción Construction
ERG

INDEG · Restaurante na Cobertura Sul 2000
Restaurante en la Cobertura Sul
Restaurant

Propriedade Propiedad Property : ISCTE
Projecto e Obra Proyecto y Obra Project and work : 2000|01

FICHA TÉCNICA FICHA TÉCNICA TECHNICAL DATA

Coordenação Coordinatión Coordination
Raúl Hestnes Ferreira

Autor Autor Author
Raúl Hestnes Ferreira

Arquitectura Arquitectura Architecture
Raúl Hestnes Ferreira, Gonçalo Saldanha, Susana Sequeira, Joana Castanheira, Sara Rodrigues, Luis Castanheira

Medições Mediciones Quantity Surveyor
Maciel Joaquim

Estrutura Estructura Structure
João Garcia (Gabinete Teixeira Trigo)

Instalações Eléctricas Instalaciones Eléctricas Electricity
Ruben Sobral

Instalações Mecânicas Instalaciones Mecanicas Mechanical Systems
José Nobre

Águas e Esgotos Aguas y Alcantarillas Fluids Network
Mariano Alves

Cozinha Proyecto de Cocina Kitchen Project
SOPINOTE

Fiscalização Fiscalización Construction Manager
Gabinete Teixeira Trigo

Construção Construcción Construction
VPS

INDEG · Gabinetes na Cobertura Norte 2005
Oficinas en la Cobertura Norte
Offices Body

Propriedade Propiedad Property : ISCTE
Projecto e Obra Proyecto y Obra Project and work : 2000

FICHA TÉCNICA FICHA TÉCNICA TECHNICAL DATA

Coordenação Coordinatión Coordination
Raúl Hestnes Ferreira

Autor Autor Author
Raúl Hestnes Ferreira

Arquitectura Arquitectura Architecture
Raúl Hestnes Ferreira, Marta Macedo, Xana Campos, Ruben Martins

Medições Mediciones Quantity Surveyor
Maciel Joaquim

Estrutura Estructura Structure
João Garcia (Gabinete Teixeira Trigo)

Instalações Eléctricas Instalaciones Eléctricas Electricity
Ruben Sobral

Instalações Mecânicas Instalaciones Mecanicas Mechanical Systems
José Nobre

Águas e Esgotos Aguas y Alcantarillas Fluids Network
Mariano Alves

Fiscalização Fiscalización Construction Manager
Gabinete Teixeira Trigo

Construção Construcción Construction
VPS

ISCTE II | ICS 1993 | 02

Propriedade Propiedad Property : **ISCTE**
Projecto e Obra Proyecto y Obra Project and work : **2000**

FICHA TÉCNICA **FICHA TÉCNICA** **TECHNICAL DATA**

Coordenação Coordinatión Coordination
Raúl Hestnes Ferreira

Autor Autor Author
Raúl Hestnes Ferreira

Arquitectura Arquitectura Architecture
Raúl Hestnes Ferreira, Alexandra Margaça, Gonçalo Saldanha, Filipa Vedes, Victor Ennes, Henrique Gomes, Bernardo Miranda, Otília Dinis, Ana Chiote, Mafalda Batalha, Silvia Benedito, Paulo Almeida, Fernando Almeida, António Santos, Sara Rodrigues, Joana Castanheira, Ruben Martins, Carlos Silva, Luis Castanheira, Jaime Pereira, Raquel Bentes, Joaquim Francisco, ARQUIBET (Coordenador: Custódio Monteiro)

Medições Mediciones Quantity Surveyor
Carlos Pinto

Especificações Especificaciones Specifications
João Louceiro

Estrutura Estructura Structure
João Garcia (Gabinete Teixeira Trigo)

Instalações Eléctricas Instalaciones Eléctricas Electricity
Ruben Sobral

Instalações Mecânicas Instalaciones Mecanicas Mechanical Systems
José Galvão Teles

Águas e Esgotos Aguas y Alcantarillas Fluids Network
Mariano Alves

Instalações Especiais Instalaciones Especiales Special Systems
IMOTRON

Isolamento Térmico Aislamiento Térmico Termical Project
Licínio de Carvalho

Acústica Acústica Acoustics
Martins da Silva

Paisagismo Paisajismo Landscaping
João Gomes da Silva

Fiscalização Fiscalización Construction Manager
PENGEST, Rodrigues Varela

Construção Construcción Construction
CONSÓRCIO, Dragados, Ramalho Rosa, Cobetar, Fomento de Construcciones y Contratas SA

ISCTE · Praça Central 1994|03
Plaza Central
Central Square

Propriedade Propiedad Property : **ISCTE**
Projecto e Obra Proyecto y Obra Project and work : **1994 | 03**

FICHA TÉCNICA **FICHA TÉCNICA** **TECHNICAL DATA**

Coordenação Coordinatión Coordination
Raúl Hestnes Ferreira

Autor Autor Author
Raúl Hestnes Ferreira

Arquitectura Arquitectura Architecture
Raúl Hestnes Ferreira, Alexandra Margaça, Gonçalo Saldanha, Luis Castanheira, Marta Macedo

Estrutura Estructura Structure
João Garcia (Gabinete Teixeira Trigo)

Instalações Eléctricas Instalaciones Eléctricas Electricity
Ruben Sobral

Águas e Esgotos Aguas y Alcantarillas Fluids Network
Mariano Alves

Paisagismo Paisajismo Landscaping
João Gomes da Silva

Fiscalização Fiscalización Construction Manager
PENGEST, Rodrigues Varela

Construção Construcción Construction
CONSÓRCIO, Dragados, Ramalho Rosa, Cobetar, Fomento de Construcciones y Contratas SA

Agradecimentos | Agradecimentos | Acknowledgement

Mecenas

Parceiros Institucionais

Media Partners

Ficha Técnica | Datos Técnicos | Technical Data

TÍTULO | TÍTULO | TITLE
Raúl Hestnes Ferreira
Arquitectura e Universidade - ISCTE
Lisboa 1972-2005

REALIZAÇÃO | REALIZACIÓN | ACCOMPLISHMET
ISCTE - Instituto Superior de Ciências do Trabalho e da Empresa

PRODUÇÃO | PRODUCCIÓN | PRODUCTION
ISCTE - Instituto Superior de Ciências do Trabalho e da Empresa

COORDENAÇÃO EDITORIAL | COORDINACIÓN EDITORIAL | EDITORIAL COORDINATION
Bernardo Pizarro Miranda
Maria Helena Granado Teixeira
Teresa Maria das Neves Santos

COLABORAÇÃO | COLABORATIÓN | COOPERATION
Ruben Martins

MECENAS, APOIOS INSTITUCIONAIS E IMPRENSA | PATROCINADORES, AYUDA
INSTITUCIONAL E PRENSA | MAECENAS, INSTITUCIONAL SUPPORT AND PRESS
Teresa Maria das Neves Santos

TEXTOS | TEXTOS | TEXTS
Ahmet Gulgonen
Alexandre Alves Costa
Ana Tostões
Helena Roseta
José Forjaz
Luís Antero Reto
José Manuel Paquete de Oliveira
Manuel Graça Dias
Pedro Viana Botelho
Raúl Hestnes Ferreira

PROJECTO GRÁFICO | DISEÑO GRÁFICO | GRAPHIC DESIGN
OMLET - Design, Fotografia e Comunicação

FOTOGRAFIA | FOTOGRAFÍA | PHOTOGRAPHY
Luís Pavão
Raúl Hestnes Ferreira
GIRE
Carlota da Costa Cabral - OMLET (Badana - Raúl Hestnes Ferreira)

IMAGEM DE CAPA | FOTOGAFÍA DE LA CUBIERTA | COVER IMAGE
Interior do Edifício II do ISCTE, Luís Pavão

FOTOGRAFIA DIGITAL | FOTOGRAFÍA DIGITAL | DIGITAL PHOTOGRAPHY
António Duarte Mil-Homens

TRADUÇÃO | TRADUCCIÓN | TRANSLATION
Dados Concretos, Lda

REVISÃO | REVISIÓN | REVISION
Isabel Maria Alçada Cardoso

CO-EDIÇÃO | CO-EDICIÓN | CO-EDITION
ISCTE - Instituto Superior de Ciências do Trabalho e da Empresa
Librus Publicações Técnicas

IMPRESSÃO | IMPRESIÓN | PRINTING
Tipografia Peres

ISBN | 972-99426-7-6   **DEPÓSITO LEGAL** | 238.524/06

Lisboa, Fevereiro 2006 | Lisboa, Febrero 2006 | Lisbon, February 2006